AGATHA CHRISTIE

OS CRIMES ABC

Um caso de Hercule Poirot

Tradução
Rocha Filho

Rio de Janeiro, 2024

Título original: *The ABC Murders*
The ABC Murders Copyright © 1936 *Agatha Christie Limited. All rights reserved.*
AGATHA CHRISTIE, POIROT *and the Agatha Christie Signature are registered trade marks of Agatha Christie Limited in the UK and/or elsewhere. All rights reserved.*

Direitos de edição da obra em língua portuguesa no Brasil adquiridos pela Casa dos Livros Editora LTDA. Todos os direitos reservados. Nenhuma parte desta obra pode ser apropriada e estocada em sistema de banco de dados ou processo similar, em qualquer forma ou meio, seja eletrônico, de fotocópia, gravação etc., sem a permissão do detentor do copirraite.

Diretora editorial: *Raquel Cozer*
Gerente editorial: *Alice Mello*
Editor: *Ulisses Teixeira*
Revisão: *Fred Perrotti, Maria Fernanda Barreto, Marina Sant'Ana*
Projeto gráfico de miolo: *Lúcio Nöthlich Pimentel*
Diagramação: *DTPhoenix Editorial*
Projeto gráfico de capa: *Maquinaria Studio*

CIP-Brasil. Catalogação na fonte
Sindicato Nacional dos Editores de Livros, RJ

C479t Christie, Agatha, 1890-1976
　　　　Os crimes ABC: um caso de Hercule Poirot / Agatha Christie; tradução Rocha Filho. – 1. ed. – Rio de Janeiro: HarperCollins Brasil, 2016.
　　　　(Agatha Christie)

　　　　Tradução de: The ABC murders
　　　　ISBN 9788595085503

　　　　1. Ficção policial inglesa. I. Rocha Filho. II. Título. III. Série.

14-17435

CDD: 823
CDU: 821.111-3

Rua da Quitanda, 86, sala 601A – Centro –
20091-005 Rio de Janeiro – RJ – Brasil
Tel.: (21) 3175-1030
www.harpercollins.com.br

Printed in China

A James Watts,
um de meus leitores mais compreensivos

Sumário

Introdução do capitão Hastings, O.B.E. 9
1. A carta 11
2. Não faz parte da narrativa pessoal do capitão Hastings 18
3. Andover 19
4. A sra. Ascher 26
5. Mary Drower 32
6. A cena do crime 39
7. O sr. Partridge e o sr. Riddell 50
8. A segunda carta 56
9. O assassinato de Bexhill-on-Sea 65
10. Os Barnard 74
11. Megan Barnard 80
12. Donald Fraser 86
13. Uma conferência 90
14. A terceira carta 97
15. Sir Carmichael Clarke 104
16. Não faz parte da narrativa pessoal do capitão Hastings 114
17. Encontro marcado 118
18. Poirot faz um discurso 125
19. Pelos caminhos da Suécia 137

20. Lady Clarke 142
21. Descrição de um assassino 153
22. Não faz parte da narrativa pessoal do capitão Hastings ... 159
23. Doncaster, 11 de setembro 165
24. Não faz parte da narrativa pessoal do capitão Hastings ... 174
25. Não faz parte da narrativa pessoal do capitão Hastings ... 177
26. Não faz parte da narrativa pessoal do capitão Hastings ... 180
27. O crime de Doncaster 183
28. Não faz parte da narrativa pessoal do capitão Hastings ... 190
29. Na Scotland Yard 199
30. Não faz parte da narrativa pessoal do capitão Hastings ... 203
31. Hercule Poirot interroga 205
32. Poirot caça uma raposa 212
33. Alexander Bonaparte Cust 219
34. Poirot esclarece o caso 226
35. Finale 244

Introdução do capitão Hastings, O.B.E.[1]

PARA ESSA NARRATIVA USEI meu método habitual de relatar somente incidentes e cenas por mim presenciadas. Certos capítulos, portanto, foram escritos na terceira pessoa.

Devo assegurar a meus leitores que atesto a veracidade das ocorrências relatadas nesses capítulos. O fato de ter usado uma certa licença poética ao descrever pensamentos e sentimentos de diversas pessoas corre por conta de meu desejo de dar-lhes uma dose razoável de exatidão. Devo acrescentar que tais descrições haviam sido "podadas" pelo próprio Hercule Poirot, meu bom amigo.

Concluindo, devo dizer que se me estendi bastante na descrição do relacionamento de personagens secundários, surgidos em decorrência daquela estranha série de crimes ABC, é porque o elemento humano nunca pode ser ignorado. Certa vez, Hercule Poirot me ensinou, de maneira bem expressiva, que o romance pode ser um subproduto do crime.

Quanto ao elucidamento do mistério ABC, posso dizer que, na minha opinião, Poirot demonstrou enorme talento no modo como abordou um problema diferente de todos com que já lidara.

---

[1] Oficial da Ordem do Império Britânico.

1

A CARTA

FOI EM JUNHO DE 1935 QUE RETORNEI à Inglaterra de volta da minha fazenda na América do Sul para uma estada de uns seis meses. Fora uma fase difícil para nós ali. Como todos então, tínhamos sofrido as consequências da depressão mundial. Eu tinha vários assuntos para resolver no meu país que dependiam de uma intervenção pessoal. Assim, deixei minha esposa cuidando da fazenda e embarquei.

Não é necessário dizer que uma das primeiras coisas que fiz, ao chegar a Londres, foi visitar meu velho amigo Hercule Poirot.

Fui encontrá-lo instalado num dos mais novos apartamentos londrinos com serviço de hotel. Eu o critiquei (e ele o reconheceu) por ter escolhido aquele tipo de edifício simplesmente por causa de sua aparência e proporções estritamente geométricas.

— Assim é, meu amigo, ele tem uma simetria mais agradável, não concorda?

Respondi que a coisa toda ali me parecia muito na base do quadrado e, apelando para uma velha blague, indaguei se naquela supermoderna hospedaria já tinham conseguido induzir as galinhas a porem ovos quadrados.

Poirot riu com muita disposição.

— Ah, você ainda se lembra dessa história? Infelizmente a ciência não conseguiu ainda fazer as galinhas se adaptarem aos gostos modernos, elas continuam a botar ovos de diferentes tamanhos e cores!

Observei a figura de meu velho amigo com um olhar cordial. Ele estava com uma excelente aparência, eu diria que nem um dia mais velho do que quando o vira pela última vez.

— Está com ótimo aspecto, Poirot. Dificilmente aparenta a idade que tem. E, se isto fosse possível, diria que você está com menos fios de cabelo branco do que da última vez em que nos vimos.

Sorrindo com certa sutileza, Poirot retrucou:

— E por que não seria possível? É inteiramente exequível.

— Mas como? Quer dizer que seu cabelo em vez de se tornar normalmente grisalho ficou preto de novo?

— Exatamente.

— Eis o que considero uma impossibilidade científica!

— Mas não é, acredite.

— O que não deixa de ser extraordinário, meu amigo. E contraria uma lei natural.

— Como sempre, Hastings, você demonstra seu admirável espírito confiante. Os anos não lhe roubaram essa maneira de ser! Você percebe um fato e menciona a solução para o mesmo a um só tempo, sem notar que está fazendo tal coisa!

Fiquei olhando-o, com ar embaraçado, curioso.

Sem dizer mais nada, Poirot foi ao seu quarto e de lá voltou com um frasco que me entregou sem comentários. E eu pude ler o rótulo:

REVIVIT: *Para devolver a cor natural aos seus cabelos.* REVIVIT *NÃO é tintura. Em cinco tonalidades: Cinza, Castanho--natural, Castanho-avermelhado, Castanho-escuro e Preto.*

— Poirot! — exclamei. — Você pintou o cabelo!

— Ah, por fim a compreensão voltou à sua mente!

— Eis aí, então, por que seu cabelo dá a impressão de estar muito mais negro do que da última vez em que aqui estive.

— Exatamente.

— Meu caro — disse, recuperando-me da surpresa inicial. — Suponho que da próxima vez eu venha encontrá-lo usando um falso bigode... ou já está acontecendo isso agora?

Poirot estremeceu como se lhe tivesse dito uma ofensa. Afinal, o bigode que cultivava há anos sempre fora seu ponto sensível. Orgulhava-se dele, na verdade. Assim, minhas palavras o melindraram.

— Não, meu amigo, isso não. E rogo ao bom Deus que tal dia esteja bem distante. Um falso bigode! *Quel horreur!* — E o repuxou com força, como se pretendesse me assegurar de sua autenticidade.

— Bem, ele ainda está bem exuberante — comentei por fim.

— *N'est pas?* Nunca, em toda Londres, cheguei a ver um bigode igual ao meu.

"Um bom disfarce também", pensei. Mas por nada desse mundo iria magoar Poirot dizendo isso. Daí que mudei de assunto, perguntando se ele ainda estava exercendo sua profissão no momento.

— Sei que se aposentou há alguns anos...

— *C'est vrai.* Para cultivar abóboras! Aí logo ocorre um crime... e eu mando as abóboras para o diabo. E, desde então, sei muito bem o que está pensando, eu me acho na situação de uma grande estrela que anuncia sua retirada do palco! Um espetáculo de despedida, que ela repete um sem-número de vezes...

Não pude deixar de rir da comparação.

— Na verdade, tem sido assim. Cada caso que acontece eu me digo: este é o último. Mas não, algo sempre acaba acontecendo. É preciso admitir, meu amigo, a aposentadoria que eu planejei de nada valeu. E afinal se as células cinzentas não são exercitadas por nós criam ferrugem, meu caro.

— Entendo. Você as utiliza com moderação.

— Precisamente. Agora escolho os casos. Para o Hercule Poirot de hoje somente a nata do crime.

— E tem havido muito crime desse tipo?

— *Pas mal.* Não faz muito tempo eu escapei por um triz.

— Refere-se a um fracasso?

— Não, não. — Poirot pareceu chocado. — Mas eu, eu, *Hercule Poirot*, quase fui eliminado.

Dei um leve assovio e arrisquei:

— Um assassino arrojado.

— Não tanto audacioso quanto despreocupado — retrucou Poirot. — O termo é exatamente este. Mas não falemos mais nisso. Você sabe, Hastings, em muitos aspectos, encaro você como minha mascote.

— É mesmo? E de que maneira?

Poirot não respondeu diretamente a minha pergunta. Fez um rodeio:

— Logo que soube de seu regresso, disse comigo mesmo: algo vai acontecer. Como nos velhos tempos iremos à caça juntos, nós dois. Mas esse caso não será comum. Deverá ser algo — ele moveu as mãos com animação, como se caçasse as palavras no ar — algo *recherché...* delicado, *fine...* — Poirot conferiu à derradeira palavra intraduzível seu inteiro sabor.

— Na minha opinião, Poirot — observei —, qualquer um que o ouvisse agora pensaria que você está encomendando um jantar no Ritz.

— E como ninguém pode encomendar um crime especial, não é mesmo? — Poirot suspirou fundo. — Mas eu acredito na sorte, no destino, se você preferir. Pois seu destino é ficar a meu lado e me impedir de cometer o erro imperdoável.

— E o que chama de erro imperdoável?

— Não perceber o óbvio.

Fiquei pensando e repensando sem apreender o sentido da observação. Por fim, disse, sorrindo de leve:

— Bem, já terá acontecido então esse supercrime?

— *Pas encore.* Pelo menos, é o que parece...

Poirot fez uma pausa. Em sua testa se acentuou uma ruga de perplexidade. Num gesto automático, suas mãos repuseram em seus lugares costumeiros dois objetos que, inadvertidamente, eu movera.

— Não tenho certeza — disse então, em tom pausado.

Havia algo tão inusitado em sua entonação de voz que o contemplei, surpreso. Aquele ríctus de preocupação ainda era visível nele.

De repente, com um rápido e incisivo gesto de cabeça, Poirot deu alguns passos, acercando-se da escrivaninha perto da janela. Tudo ali estava tão bem-arrumado e distribuído pelo pequeno compartimento, coisa comum a Poirot, que lhe era fácil encontrar de imediato o que desejava.

Então, aproximou-se de mim, com uma carta na mão. Releu-a de passagem e, depois, entregando-a para mim, disse:

— Leia, *mon ami*. Depois me diga o que pensa a respeito.

Com certa curiosidade, fiz o que me era pedido.

A carta fora escrita em papel de boa qualidade, espesso, com letras de imprensa:

```
Sr. Hercule Poirot. Não é fato que supõe so-
lucionar mistérios que desafiam a capacidade
intelectiva reduzida de nossa pobre polícia
britânica? Pois vejamos, sr. Sagaz Poirot, até
que ponto é inteligente. Talvez não considere
o assunto difícil de desvendar. Fique de olho
em Andover, no dia 21 deste mês.
    Seu, etc,
                                      ABC.
```

Olhei o envelope. O endereço também fora escrito com letra de imprensa.

— Veio de W.C.I. — disse Poirot, quando voltei minha atenção para o carimbo postal. — Bem, qual a sua opinião?

Dei de ombros ao lhe devolver a carta e retruquei:

— É coisa de algum louco ou algo parecido, suponho.

— É tudo que tem a dizer?

— Bem... não acha que se trata de um demente?

— Sim, meu amigo, deve ser.
Ele falara em tom grave e o olhei meio intrigado, comentando:
— Está levando esse assunto muito a sério, Poirot.
— Um louco, *mon ami*, é para ser levado a sério. Um tipo assim é realmente perigoso.
— Sim, é verdade... Eu não considerei devidamente esse aspecto... Mas quis dizer que a coisa toda parece mais uma espécie de burla idiota. Talvez produto da imaginação de algum brincalhão que foi além da conta...
— *Comment?* De que conta está falando?
— Foi apenas uma expressão comum. Quis dizer que o sujeito estava alto quando escreveu essa carta. Errou na dose do uísque.
— *Merci*, Hastings. Com a expressão "alto" eu já estou familiarizado. Então, segundo você, a coisa não passa disso...
— E há mais alguma coisa? — indaguei, impressionado com a insatisfação que seu tom de voz denotava.
Poirot moveu a cabeça com ar duvidoso, mas não retrucou.
— O que você já fez a respeito dessa carta? — perguntei então.
— O que poderia fazer nesse primeiro momento? Mostrei-a ao Japp. Ele disse o mesmo que você: "uma brincadeira tola"; foi a expressão que usou. Eles topam com coisas desse tipo, diariamente, lá na Scotland Yard. E eu, também, tenho tido minha cota...
— Mas você continua a encarar mais seriamente essa, não?
Poirot replicou pausadamente:
— Há algo nessa carta que eu não gosto, Hastings.
A despeito do que eu pensava sobre o caso, a expressão de Poirot voltou a me impressionar. E indaguei:
— Você pensa o quê, afinal?
Ele balançou a cabeça, guardou a carta no envelope e voltou a colocá-la na escrivaninha.
— Se realmente leva a sério isso, por que não faz alguma coisa a respeito? — insisti.
— Como sempre, falou o homem de ação! Mas o que há para fazer? A polícia do condado também viu essa carta, mas igualmente

não a levou a sério. Não há impressões digitais nela. Não há indício algum sobre seu possível autor.

— Resumindo: há somente seu instinto pessoal.

— Instinto, não, Hastings. É uma palavra mal-escolhida. É meu *conhecimento*, minha *experiência*, que me dizem haver alguma coisa que não soa bem nessa carta...

Ele gesticulava quando as palavras exatas lhe escapavam. Então, balançou de novo a cabeça, observando:

— Posso estar fazendo uma tempestade num simples copo d'água. De qualquer maneira não há nada a fazer senão esperar.

— Bem, 21 desse mês cai numa sexta-feira. Se um roubo desses de chamar atenção ocorrer perto de Andover, aí então...

— Ah, que alívio seria!...

— *Alívio*?! — exclamei. O termo me pareceu fora de propósito. — Um roubo dificilmente pode ser tido como um alívio.

Poirot moveu a cabeça com veemência, replicando:

— Está enganado, meu amigo. Você não entendeu o que eu quis dizer. Um roubo poderá ser motivo de alívio se afasta da minha mente o receio de algo mais.

— Refere-se a que em especial?

— Um *assassinato* — respondeu Poirot.

2

Não faz parte da narrativa pessoal do capitão Hastings

O SR. ALEXANDER BONAPARTE CUST se levantou da cadeira e olhou com atenção o que o rodeava em seu quarto acanhado. Tinha as costas doloridas após estar sentado em posição incômoda e agora, de pé, qualquer um veria que se tratava de um homem realmente alto. Sua figura meio encurvada e o fato de ser míope causavam uma impressão enganosa.

Acercando-se de um cabide preso atrás da porta, ele remexeu no bolso de um sobretudo bastante usado, retirando um maço de cigarros baratos e uma caixa de fósforos. Acendeu o cigarro e então voltou a se sentar à mesa. Pegou um guia de trens e o consultou, passando a seguir ao exame meticuloso de uma lista de nomes de pessoas batida à máquina. Com a caneta, assinalou então um dos primeiros nomes da lista.

Era sexta-feira, 20 de junho.

3

Andover

NA OCASIÃO FIQUEI IMPRESSIONADO com os pressentimentos de Poirot a propósito da tal carta anônima, mas devo confessar que o assunto já deixara de me preocupar quando chegou o dia 21. Aí a situação mudou com a visita feita a meu amigo Poirot pelo inspetor-chefe Japp, da Scotland Yard. Esse membro do departamento de investigação criminal era nosso conhecido há muitos anos e me dirigiu um cumprimento muito cordial.

— Ora, vejam! — exclamou Japp. — Mas se não é o capitão Hastings de volta das selvas ou do que queiram chamar! Faz lembrar os velhos tempos, vê-lo aqui com Monsieur Poirot. Está com bom aspecto, também. Apenas com o alto da cabeça um pouco deserto, hein? Bem, isso é o que acaba acontecendo a todos nós. Comigo dá-se o mesmo.

Eu protestei ligeiramente. Tinha a impressão de que, devido à maneira cuidadosa com que alisara o cabelo no alto da cabeça, a leve calvície insinuada por Japp era praticamente imperceptível. Contudo, Japp nunca se fizera notar por um razoável tato, pelo que já pudera observar, assim passei por alto o comentário e admiti que nenhum de nós parecia mais remoçado.

— Com exceção de Monsieur Poirot — observou Japp. — Ele serve como um bom anúncio de propaganda para um tônico capilar, não há dúvida. Os fios de cabelo brotando mais finos do que antes. E continua em forma e evidência, mesmo com a sua idade. Está associado a todos os casos importantes do dia. Mistérios ocorridos em trens, em aviões, mortes de pessoas da alta sociedade... sim, ele está sempre presente, aqui e ali. Nunca foi tão falado desde que se aposentou...

— Eu já disse ao Hastings que sou como uma grande estrela que faz sempre uma apresentação a mais de despedida — disse Poirot, sorrindo.

— Não seria de admirar que terminasse investigando sua própria morte — comentou Japp, rindo gostosamente. — Eis uma boa ideia, sim, senhores. Devia ser tema de um livro.

— Hastings é que poderá fazer isso — observou Poirot, piscando o olho para mim.

— Seria realmente divertido — disse Japp, rindo de novo.

Não cheguei a entender por que tal ideia parecia diverti-lo tanto; para mim soava como uma piada de mau gosto. "Poirot, bom e velho companheiro, já se foi." Brincadeiras sobre a sua morte próxima dificilmente lhe agradariam.

Talvez minha atitude traísse meus sentimentos, porque Japp resolveu mudar de assunto:

— Já soube da carta anônima endereçada a Monsieur Poirot?

— Eu a dei para Hastings ler outro dia — respondeu meu amigo.

— Naturalmente — exclamei. — Já tinha até me esquecido. Espere um pouco, qual foi mesmo a data mencionada na carta?

— Dia 21 — disse Japp. — Por isso mesmo que toquei no assunto. Ontem foi dia 21 e, apenas por curiosidade, me comuniquei com Andover à noite. Nada feito. Pura brincadeira, como pensei. Uma vidraça de loja quebrada por uma pedra atirada por algum moleque e dois casos de embriaguez e desordem. Assim nosso amigo belga embarcou em canoa furada.

— Devo admitir que estou aliviado com essa notícia — observou Poirot.

— Você se preocupou um bocado com essa carta, não? — disse Japp, em tom amável. — Você ainda está com sorte, imagine que nós recebemos dúzias de cartas desse tipo, diariamente, na Yard! Gente que não tem nada melhor para fazer e escritores fracassados sentam a uma mesa e escrevem coisas desse gênero. Eles não pretendem causar nenhuma perturbação. Apenas uma certa excitação.

— Na verdade, fui muito tolo em levar a questão tão a sério — disse Poirot. — Fui meter meu nariz onde não era chamado.

— Bem, estou de saída — disse Japp. — Tenho um pequeno assunto a resolver na próxima rua, um receptor roubado de uma joalheria. Como tinha que passar por aqui, resolvi deixá-lo com o espírito mais despreocupado. Pena que tenha gasto suas células cinzentas sem necessidade, Poirot.

E com essas palavras e uma risada jovial, Japp retirou-se.

— O bom Japp não mudou muito, hein? — observou Poirot.

— Ele parece bem mais velho — retruquei. E acrescentei em tom meio vingativo: — E está ficando tão encanecido como um texugo.

Poirot pigarreou antes de comentar:

— Não sei se você sabe, Hastings, mas há uma pequena peça, meu cabeleireiro é um homem engenhoso, que uma pessoa apõe ao couro cabeludo, dispondo a seguir, com o auxílio de uma escova, seu próprio cabelo sobre o mesmo. Não se trata de uma peruca, você entende, mas...

— Poirot — retruquei irritado —, de uma vez por todas não quero saber nada das detestáveis invenções de seu maldito cabeleireiro. Que há na realidade com o meu cocuruto?

— Nada, nada mesmo.

— Parece até achar que estou ficando *careca*.

— Claro que não! Nada disso.

— O sol forte dos verões que passei lá fora causaram, naturalmente, a queda de alguns fios. Devo usar um tônico capilar realmente bom.

— *Précisément.*

— Mas, por falar no Japp, o que há com ele? Ele sempre foi um pouco agressivo e sem nenhum senso de humor. O tipo de homem que acha graça ao ver que alguém puxa uma cadeira para trás na hora exata em que outro ia se sentar.

— Um bocado de gente ri dessa cena.

— O que não deixa de ser um contrassenso.

— Do ponto de vista da pessoa prestes a se sentar, certamente que sim.

— Bem — disse eu, recuperando em parte a serenidade (Confesso que me senti melindrado com a pouca espessura de meus cabelos.) —, lamento que aquela carta anônima tenha sido apenas uma brincadeira.

— Na verdade estive tirando conclusões errôneas. Alguma coisa naquela carta me parecia estranha, com sabor de algo original. Mas, em vez disso, trata-se agora de uma idiotice. É, eu me tornei velho e suspicaz como um cão de guarda cego que rosna quando nada está acontecendo de anormal.

— Se estou aqui para cooperar com você, devemos procurar detectar um outro crime "com creme" — disse eu, rindo.

— Ah, você se lembra ainda da observação do outro dia, hein? Diga-me, se pudesse encomendar um crime como você escolhe o menu de um jantar, o que escolheria?

Eu entrei na jogada do humor, retrucando:

— Pensemos um pouco...Vamos examinar o cardápio. Roubo? Falsificação? Não, acho que não. Tem um toque muito vegetariano. Deverá ser assassinato... um bem sangrento, com acessórios, naturalmente.

— Certo. Os aperitivos.

— Quem será a vítima, homem ou mulher? Homem, penso eu. Algum figurão. Bilionário americano, primeiro-ministro ou o dono de uma cadeia de jornais. Cena do crime... bem, que tal a clássica e velha biblioteca? Nada melhor como ambiente, certo? Quanto a arma do crime... Bem, pode ser uma adaga de cabo singularmente retorcido, ou algum instrumento rombudo, um ídolo de pedra entalhada...

Poirot suspirou fundo.

— Naturalmente — prossegui — há o veneno também, mas sempre envolve detalhes muito técnicos. Ou então um tiro de revólver ecoando na noite silenciosa. Aí, entrariam em cena talvez uma bela jovem ou duas...

— De cabelo ruivo — murmurou meu amigo.

— Sua velha tirada. Uma das belas garotas deverá ser, naturalmente, objeto de suspeitas infundadas, e haverá algum desentendimento entre ela e o mocinho da história. E então, obviamente, surgirão alguns outros suspeitos: uma mulher mais idosa, morena, do tipo perigoso, e algum amigo ou rival do homem assassinado, uma dócil secretária, suspeita de última hora, um homem vigoroso de maneiras rudes e francas, um casal de empregados despedido, ou couteiros, ou ainda algo parecido, um detetive pouco perspicaz, assim como o nosso Japp, e... Bem, isso é tudo.

— Então essa é a ideia que você faz da "nata" do crime?

— Imaginei que você não iria concordar comigo.

O olhar que Poirot me dirigiu denotava pena.

— Você acaba de fazer um lindo resumo de quase todas as histórias de detetive que já foram escritas.

— Está certo. Então, o que você escolheria?

Poirot semicerrou os olhos e se recostou de novo na poltrona. Sua voz veio até mim como uma espécie de ronronar.

— Um crime realmente simples. Sem quaisquer complicações. Um crime com uma atmosfera tranquilamente doméstica... muito desapaixonante, muito *íntimo*.

— E como pode um crime ser *íntimo*?

— Suponhamos — murmurou Poirot — que quatro pessoas se sentem em torno de uma mesa para jogar bridge e uma outra, a excedente, vá se sentar perto da lareira. No fim da noite, esta é encontrada desacordada. Um dos quatro jogadores, vendo-o adormecido, acerca-se dele e o mata. Os outros três tendo bom jogo em mãos não se apercebem da cena. Eis aí o que deveria ser um modelo de crime para você escolher! *Qual dos quatro foi o assassino?*

— Bem... eu não percebo *nada* de excitante nisso!

Poirot me lançou um olhar de reprovação.

— Não percebe porque não entram em cena nenhuma adaga original, nenhuma chantagem, nem esmeralda retirada do olho de um deus oriental, nem sutis venenos do Oriente que não deixam vestígios. Você tem uma imaginação melodramática, Hastings. Talvez venha a gostar, não de um único crime, mas de uma série deles.

— Reconheço que um segundo crime numa novela anima mais as coisas. Se o assassinato acontece logo no primeiro capítulo, e você tem de acompanhar passo a passo o álibi de todo mundo até a última página... Bem, aí fica muito monótono.

O telefone tocou e Poirot se levantou para atender.

— Alô — disse ele. — Alô. Sim, é Hercule Poirot quem fala.

Poirot ficou ouvindo com atenção por uns dois minutos e aí notei sua expressão mudar. Durante o telefonema ele só disse breves palavras: "*Mais oui...*"; "Sim, naturalmente..."; "Está certo, nós iremos..."; "Claro..."; "Deve ter sido como você diz..."; e "Sim, eu a levarei. *A tout à tout l'heure* então."

Poirot desligou e se acercou logo de mim, dizendo:

— Era o Japp.

— Ah, sim?

— Ele acabou de chegar à Yard. Havia uma mensagem de Andover...

— Andover? — repeti, animado.

Poirot falou lentamente:

— Uma senhora idosa de nome Ascher, dona de uma lojinha de cigarros e jornais, foi encontrada morta. Assassinato.

Acho que jamais me senti tão decepcionado. Meu interesse, despertado vivamente pela menção de Andover, sofria um súbito decréscimo. Esperara algo fantástico, fora do comum. O assassinato de uma velha senhora proprietária de uma pequena tabacaria parecia, de algum modo, vulgar e desinteressante.

Poirot prosseguiu no mesmo tom lento e grave:

— A polícia de Andover acredita pôr logo as mãos no sujeito que cometeu o crime.

Novo motivo de desapontamento para mim.

— Parece que a tal senhora não se dava bem com o marido. Ele bebe demais e, pelo jeito, se comporta como um tipo grosseiro. Ameaçou matá-la mais de uma vez.

Como me mantivesse calado, ele continuou:

— Apesar disso, por causa da referência contida naquela carta anônima, a polícia gostaria de reexaminá-la. Eu disse ao Japp que nós dois estaríamos em Andover sem demora.

Meu estado de ânimo sofreu uma melhora. Afinal de contas, vulgar como pudesse parecer, tratava-se de um *crime*, e já fazia muito tempo que não me via às voltas com crimes e criminosos. Assim, mal escutei as próximas palavras ditas por Poirot. Mas elas voltariam à minha mente, significativamente, mais tarde.

— Isso é apenas o começo — murmurou Hercule Poirot.

4

A SRA. ASCHER

FOMOS RECEBIDOS EM ANDOVER pelo inspetor Glen, um homem alto, de expressão franca e um sorriso amável.

Em benefício da concisão, penso ser melhor dar um breve resumo dos fatos essenciais que envolviam o caso.

O crime foi notificado pelo policial Dover à uma hora da madrugada do dia 22. Ao fazer sua ronda habitual, notou que a porta da tabacaria da sra. Ascher estava entreaberta. Então, entrou e pensou inicialmente que não houvesse ninguém ali. Ao dirigir o foco de sua lanterna para o balcão, contudo, percebeu o corpo enrodilhado de uma mulher idosa. Quando o legista chegou ao local, ficou esclarecido que a mulher fora golpeada com um objeto pesado na nuca, provavelmente na ocasião em que se abaixara um pouco para apanhar um maço de cigarros da prateleira atrás do balcão. A morte devia ter ocorrido por volta de nove ou sete horas antes.

— Mas conseguimos avançar um pouco mais nesse caso — explicou o inspetor. —Localizamos um homem que esteve na loja e comprou um pacote de cigarros às 5 e 30. E também um segundo indivíduo que ali esteve às seis e cinco, saindo logo após, julgando estar a tabacaria vazia. Isso situa a hora do crime entre 5 e 30 e seis e cinco. Até agora não encontrei ninguém que tivesse visto o tal Ascher nos arredores, mas, naturalmente, era muito cedo. Ele esteve no bar Três Coroas às nove da noite, tomando uma bela bebedeira. Quando pusermos as mãos nele será preso sob suspeita.

— Um tipo que deixa muito a desejar, não, inspetor?

— Desagradável sob todos os aspectos, Monsieur Poirot.
— Ele não vivia com a esposa?
— Não, estavam separados há alguns anos. Ele é alemão. Trabalhou como garçom algum tempo, mas vivia bebendo e acabou não arrumando mais emprego algum. Sua mulher teve que buscar uma colocação. Esteve por último como cozinheira e governanta na casa de uma velha dama solteirona, a srta. Rose. A sra. Ascher entregava ao marido a maior parte de seu salário para mantê-lo quieto, mas ele andava sempre bêbado e aparecia nos lugares onde ela trabalhava fazendo escândalo. Eis por que ela aceitou trabalhar para a srta. Rose n'A Granja, a três milhas de Andover, num local muito isolado. Assim o marido não poderia ir incomodá-la. Ao morrer, a srta. Rose deixou uma pequena herança para a sra. Ascher, o que lhe permitiu adquirir a pequena loja onde vendia cigarros e jornais, um negócio bem modesto, sem dúvida. Dava apenas para ir vivendo. Mas Ascher costumava aparecer e de novo passou a exigir dinheiro dela. A sra. Ascher para se ver livre de mais aborrecimentos, dava-lhe semanalmente 15 shillings.

— Tiveram filhos?

— Não. Há apenas uma sobrinha. Trabalha perto de Overton. Uma jovem simples, trabalhadora.

— E, segundo você diz, esse tal Ascher costumava ameaçar sua esposa?

— Exato. Ele ficava terrível quando bebia. Praguejava e jurava que amassaria a cabeça da esposa. Vida dura e ingrata teve essa sra. Ascher...

— Qual a idade da morta?

— Sessenta anos; uma pessoa honesta e trabalhadora.

Poirot indagou em tom mais grave:

— Na sua opinião, inspetor, esse tal Ascher cometeu o crime?

O inspetor hesitou um pouco antes de responder:

— É um pouco cedo para afirmá-lo, sr. Poirot, mas eu gostaria de ouvir Franz Ascher explicar de viva voz como gastou a noite de ontem. Se puder apresentar uma explicação satisfatória, muito bem. Caso contrário...

A pausa que se seguiu foi uma sugestão a nova pergunta de Poirot.

— Nada foi roubado da tabacaria?

— Nada. O dinheiro continuava na gaveta da registradora. Nenhum indício de roubo.

— Você acha que Ascher entrou bêbado ali, maltratou a esposa e depois a matou?

— Parece ser a solução mais convincente. Mas devo admitir, senhor, gostaria de ler de novo aquela estranha carta que recebeu. Estou pensando se ela não poderia ter sido escrita por Franz Ascher.

Poirot entregou a carta ao inspetor que a leu, franzindo então a testa.

— Não deve ser dele — disse por fim o inspetor. — Duvido muito que ele viesse a usar a expressão "nossa" polícia britânica, a não ser que procurasse bancar o esperto, exibindo uma certa malícia que não é própria de um tipo rude como ele. Depois, trata-se de um homem frustrado, com os nervos desgastados pela bebida. Assim, com sua mão pouco firme não conseguiria escrever essas letras de imprensa com tanta precisão. E o papel de carta e a tinta são de ótima qualidade também. Estranho que na carta seja mencionado o dia 21 desse mês. Naturalmente *deve* se tratar de uma simples coincidência.

— É possível que sim.

— Mas não gosto desse tipo de coincidência, sr. Poirot. É uma coisa muito proposital.

Fez-se breve silêncio e o inspetor voltou a franzir a testa.

— ABC. Afinal o que significa isso?... Bem, veremos se Mary Drower, a sobrinha da sra. Ascher, pode nos ajudar em algo. Este é um caso estranho. Mas quanto a essa carta, aposto meu salário como não foi escrita por Franz Ascher.

— Sabe alguma coisa sobre o passado da sra. Ascher? — indagou Poirot.

— Ela nasceu em Hampshire. Começou a trabalhar ainda jovem, em Londres, quando, então, conheceu Ascher e se casou com ele. As coisas devem ter sido bem difíceis para os dois durante a guerra. Ela deixou a companhia do marido já em 1922. Estavam em Londres na época. A sra. Ascher veio para cá a fim de se ver livre do esposo, mas ele soube não se sabe como onde ela se achava e a procurou, assediando-a com pedidos de dinheiro...

Um policial se aproximou.

— Sim, Briggs, o que há? — perguntou o inspetor ao policial.

— É o Ascher, senhor. Nós o apanhamos.

— Muito bem. Traga-o aqui. Onde ele estava?

— Escondido num vagão parado na estrada.

— Ah, mesmo? Traga-o logo.

Na verdade, Franz Ascher tinha uma figura lastimável, nada simpática. Choramingava e se mostrava servil e agressivo, em mudanças bruscas. Seus olhos turvos estavam voltados ora para um ora para outro dos homens à sua volta.

— Que querem comigo? Eu não fiz nada. É uma humilhação e um escândalo o que estão fazendo! Você aí, seu porco, como se atreve a me deter? — De súbito, suas maneiras se abrandaram. — Não, não, eu não queria dizer isso... só que não podem maltratar um pobre homem já idoso... agindo com dureza. Todos são duros com o pobre e velho Franz. Pobre velho Franz — repetiu, lamuriento.

Quando Ascher parou de falar, soluçando, o inspetor disse:

— Não há motivo para choro, Ascher. Acalme-se. Não o estou acusando de nada, por enquanto. E você não está obrigado a prestar uma declaração a menos que queira fazê-lo. Por outro lado, se *nada* tem a ver com o assassinato de sua esposa...

Ascher interrompeu o inspetor, erguendo a voz quase num grito.

— Eu não a matei! Não a matei! É tudo mentira! Vocês, seus malditos tiras ingleses, estão todos contra mim. Nunca pretendi matá-la. Nunca.

— Mas a ameaçou várias vezes, Ascher.

— Não, não. Você não entende. Era apenas uma brincadeira... uma brincadeira entre mim e Alice. Ela sabia disso.

— Um jogo muito divertido! Será que pode me dizer onde esteve ontem à noite, Ascher?

— Sim, sim... eu conto tudo para você. Eu não fui ver Alice. Estava com alguns amigos... bons companheiros. Estivemos no Sete Estrelas... e depois fomos ao Cão Vermelho...

Ascher falava apressadamente, as palavras se atropelando.

— Dick Willows estava comigo, assim como o velho Curdie, George, Platt e vários outros. Repito que não me aproximei de Alice. *Ach Gott*, é a pura verdade o que lhe digo.

Sua voz se tornara esganiçada. O inspetor fez sinal a seu ajudante.

— Leve-o daqui. Detido sob suspeita. — disse o inspetor, continuando quando aquele indivíduo desagradável, de palavreado grosseiro e ar malévolo, foi levado pelo policial. — Não sei o que pensar desse caso. Se não fosse a tal carta, eu diria que Ascher fez o serviço.

— E quanto aos homens que ele mencionou?

— Um bando de maus elementos, todos prontos a prestar declarações mentirosas. Não duvido que Ascher *estivesse* realmente com eles a maior parte da noite. A questão é saber se algum deles o viu perto da tabacaria entre cinco e meia e seis horas.

Poirot balançou a cabeça com ar pensativo e, depois, indagou:

— Tem certeza de que nada foi retirado da loja?

O inspetor deu de ombros, retrucando:

— Depende. Um maço ou dois de cigarros pode ter sido tirado da prateleira... mas dificilmente se cometeria assassinato por tal coisa.

— E nada foi... como diria, introduzido na loja? Nada que parecesse estranho, fora de propósito ali?

— Encontramos um guia ferroviário — respondeu o inspetor.

— Um guia de trens?

— Sim. Estava aberto e com a capa voltada para baixo sobre o balcão. Dava a impressão de que alguém estivera consultando o horário dos trens de Andover. Talvez a velha senhora ou um freguês.

— E ela vendia esse tipo de publicações?

O inspetor Glen moveu a cabeça em negativa.

— Só vendia folhetos comuns com horários de trens. Este era maior, uma espécie de catálogo, algo que só numa papelaria como a do Smith pode ser encontrado.

O olhar de Poirot se animou de repente. Acercou-se mais do inspetor, que também parecia estar pensando em algo repentino.

—Você falou num guia ferroviário, inspetor. Um Bradshaw... ou um ABC?

— Por Deus! — exclamou o inspetor. — *Era* um ABC.

5

MARY DROWER

ACHO QUE O PONTO DE PARTIDA de meu interesse por esse caso foi a menção feita ao guia de trens ABC. Até então meu entusiasmo era reduzido. Aquele sórdido assassinato de uma velha senhora numa pequena loja era mais um dos crimes comuns noticiados pelos jornais sem nenhuma significação especial. A meu ver, a carta anônima com a referência feita ao dia 21 representava uma mera coincidência. Estava quase certo de que a sra. Ascher fora vítima de um ato brutal de seu marido, bêbado e grosseiro. Mas agora a descoberta do guia ferroviário (muito conhecido pela abreviatura ABC, citando todas as estações ferroviárias em sua ordem alfabética) viera excitar a minha imaginação. Isso não poderia ser, seguramente, uma segunda coincidência?

E um crime considerado de início vulgar assumia novo aspecto.

Quem era o misterioso indivíduo que matara a sra. Ascher e deixara no local do crime um guia ABC?

Quando Poirot e eu saímos da delegacia distrital, fomos primeiro ao necrotério a fim de ver o cadáver da mulher assassinada. Um sentimento estranho se apossou de mim quando contemplei aquele velho e sofrido rosto, com o cabelo ralo e grisalho aderindo estreitamente às têmporas. Ela transmitia uma imagem de paz, incrivelmente distante do domínio da violência.

— Não sei quem fez isso ou com que a golpearam — observou o sargento presente ali. — Nem o dr. Kerr sabe. Fico menos triste por ver que ela morreu sem o saber também, pobre criatura. Era uma boa e honesta mulher.

— Deve ter sido bonita em outros tempos — disse Poirot.
— Acha mesmo? — murmurei, com ar de dúvida.
— Mas claro, veja bem as linhas do rosto, o feitio da arcada óssea, da cabeça.

Poirot suspirou fundo ao repor o lençol sobre a cabeça da morta. E então deixamos o necrotério.

Nosso próximo passo seria manter uma breve conversa com o médico-legista.

O dr. Kerr era de meia idade e sua expressão denotava competência profissional. Falava rapidamente com o segurança.

— A arma do crime não foi encontrada — explicou-nos. — Impossível dizer qual tenha sido. Um bastão pesado, uma bengala, uma espécie de saquinho de areia... qualquer coisa desse tipo se encaixa no caso.

— Seria necessário empregar muita força para desferir um golpe assim?

O legista endereçou um olhar atilado a Poirot, retrucando:

— O senhor quer dizer, suponho, se um homem debilitado, de uns setenta anos, poderia fazê-lo? Mas sim, é perfeitamente possível; levando-se em conta o peso da extremidade do objeto contundente, qualquer pessoa, mesmo frágil, alcançaria o resultado desejado.

— Então o assassino tanto poderia ser homem como mulher?

A sugestão feita por Poirot deixou o legista meio surpreso.

— Uma mulher? Bem, confesso que nunca me ocorreu associar uma mulher a esse tipo de crime. Mas é claro que é possível, perfeitamente possível. Só que, do ponto de vista psicológico, eu não diria se tratar de um crime típico de uma mulher.

Poirot assentiu com um gesto de cabeça impaciente.

— Perfeitamente, perfeitamente. Do ângulo a que se referiu é altamente improvável. Mas devemos levar em conta todas as possibilidades. Qual a posição exata em que o corpo foi encontrado?

O dr. Kerr nos forneceu uma descrição detalhada da posição assumida pela vítima. Segundo ele, a sra. Ascher estava em pé de costas para o balcão (e, portanto, para seu agressor) quando fora golpeada na nuca. Então, ela caíra prostrada detrás do balcão, fora das vistas de alguém que casualmente entrasse na tabacaria.

Quando já tínhamos agradecido ao dr. Kerr pela sua atenção e íamos saindo, Poirot me disse:

— Como vê, Hastings, já lavramos um tento em favor da inocência de Franz Ascher. Se ele estivesse na loja perturbando sua esposa e ameaçando-a, ela devia tê-lo *encarado* junto ao balcão. Em vez disso, a sra. Ascher se encontrava *de costas* para seu agressor, obviamente procurando na prateleira debaixo um pacote de fumo ou cigarros para um *freguês*.

Senti uma espécie de arrepio e disse:

— Foi algo revoltante.

— *Pauvre femme* — murmurou Poirot, balançando a cabeça gravemente.

Então ele consultou o relógio, dizendo:

— Penso que Overton não fica a muitas milhas daqui. Que acha de irmos até lá para uma conversa com a sobrinha da morta?

— Quem sabe você não gostaria de ir primeiro à loja onde ocorreu o crime?

— Prefiro passar ali depois. Tenho um motivo para isso.

Ele não adiantou a explicação para seu procedimento, e poucos minutos depois nós já estávamos seguindo de carro na direção de Overton pela estrada de Londres.

O endereço que o inspetor nos fornecera era o de uma casa ampla e de bom aspecto, situada a cerca de uma milha, no lado londrino da cidade.

Tocamos a campainha e uma graciosa jovem de cabelo negro, os olhos meio irritados de quem estivera chorando, veio abrir a porta.

— Ah! Acho que estou falando com a srta. Mary Drower, governanta nessa casa, não? — disse Poirot gentilmente.

— Está certo, senhor. Eu sou Mary.

— Então talvez possamos conversar por alguns minutos se sua patroa não fizer objeção. Trata-se de sua tia, a sra. Ascher.

— A patroa não está, senhor. Mas não faria objeção, estou certa, a que o senhor entrasse aqui.

Ela abriu a porta de uma saleta. Nós entramos e Poirot, sentando-se numa cadeira perto da janela, observou com atenção o rosto da moça.

— Naturalmente, já soube da morte de sua tia.

A jovem assentiu com a cabeça, lágrimas voltando a seus olhos.

— Essa manhã, senhor. A polícia esteve aqui. Oh, foi terrível! Pobre titia! Que vida atribulada ela teve. E agora isso... é tão horrível.

— A polícia não solicitou sua presença em Andover?

— Disseram que eu devo comparecer para o inquérito, segunda-feira. Mas não sei se aguentarei ir lá... entrar naquela lojinha de novo... e com a arrumadeira ausente daqui no momento, eu não gostaria de deixar a patroa só.

— Gostava muito de sua tia, Mary? — perguntou Poirot, em tom amável.

— Sim, senhor, de verdade. Ela sempre foi muito boa para mim. Fui para a companhia dela, em Londres, quando tinha 12 anos e acabara de perder minha mãe. Comecei a trabalhar com 16, mas costumava passar meu dia de folga com titia. Ela teve um bocado de aborrecimentos por causa daquele alemão. "Meu velho diabo", era como a tia costumava chamá-lo. Ele não a deixava em paz em parte alguma. Sempre a explorando, filando, aquele grosso.

A garota desabafava com veemência.

— Sua tia nunca pensou em se livrar dessa perseguição por meios legais?

— Bem, ele era seu marido, senhor, não podia fugir a isso.

A jovem falava com simplicidade, mas era objetiva.

— Diga-me, Mary, ele chegou a ameaçá-la de morte? Sim ou não?

— Oh, sim, senhor. Eram terríveis as coisas que costumava dizer. Que ia cortar-lhe o pescoço, e ameaças desse tipo. Praguejava e fazia juras, em alemão e inglês, para variar. E, no entanto, minha tia afirmava que Ascher era um homem muito simpático quando se casara com ele. É muito difícil de imaginar, penso eu, o que as pessoas podem se tornar com o tempo, senhor.

— É verdade. E, portanto, Mary, já tendo ouvido tantas ameaças, suponho que não se tenha surpreendido com o que aconteceu, certo?

— Mas fiquei surpresa, senhor. Sabe, nunca pensei nem por um momento que ele pretendesse mesmo fazer o que dizia. Encarava aquelas ameaças como uma exibição de mau gênio, palavreado grosseiro, próprio de um tipo como ele. E titia não tinha medo dele. Cheguei a vê-lo muitas vezes sair de mansinho, como um cachorro com o rabo entre as pernas quando ela o encarava. *Ele* tinha medo *dela*, o senhor me entende.

— E então ela lhe dava dinheiro?

— Bem, era seu marido, o senhor sabe.

— Sim, já frisou isso antes. — Poirot fez uma pequena pausa e então disse: — Imagino que, apesar de tudo, ele *não* a matou.

— Não a matou? — repetiu Mary, admirada.

— Foi o que eu disse. Suponhamos que alguma outra pessoa matasse sua tia... Tem alguma ideia de quem pudesse ser?

A moça o olhou mais espantada ainda.

— Não faço a menor ideia, senhor. Isso não parece provável, não acha?

— Não havia ninguém de quem sua tia tivesse receio?

Mary balançou a cabeça negativamente, frisando:

— Titia não tinha medo de ninguém. Não tinha papas na língua e encarava qualquer pessoa.

— Nunca a ouviu mencionar alguém que tivesse queixas dela?

— Nunca, senhor.

— Sabe se ela chegou a receber cartas anônimas?

— Creio que não ouvi bem, senhor.

— Falo de cartas não assinadas... ou somente com uma abreviatura como, por exemplo, ABC.

Poirot a observava com atenção, mas era claro que ela nada sabia sobre o assunto. E balançou a cabeça de modo vago.

— Sua tia tinha outros parentes além de você?

— Vivo, nenhum mais, senhor. Tinha uns dez familiares, mas somente três chegaram à idade adulta. Meu tio Tom morreu na guerra, e meu tio Harry foi para a América do Sul e não se ouviu mais falar dele, e com a morte de minha mãe, de quem já lhe falei, restou apenas eu.

— Sua tia tinha economias? Algum dinheiro guardado?

— Apenas uma pequena quantia na poupança, senhor... o suficiente para seu enterro, como ela costumava dizer. Afora isso só o que dava para seu sustento, já que aquele velho demônio ficava com quase tudo.

Poirot assentiu pensativo. Então falou, mais consigo mesmo do que com a jovem:

— No momento estamos no escuro... não há nenhuma pista. Se as coisas não se tornarem mais claras... — Levantou-se. — Se eu precisar de você, Mary, escreverei para esse endereço.

— Para falar a verdade, senhor, eu não vou continuar nesse emprego. Não gosto do campo. Vim trabalhar aqui porque seria bom para minha tia me ter mais perto dela. Mas agora... — as lágrimas voltaram a seus olhos — ... agora não há mais motivo algum para ficar, e voltarei para Londres. Lá é mais divertido para uma moça.

— Espero que, quando for para lá, você me comunique seu endereço. Aqui está meu cartão.

Ela apanhou o cartão, leu e então olhou Poirot com certa estranheza.

— Então não tem nada a ver com a polícia, senhor?

— Sou um detetive particular.

A jovem ficou o fitando por um instante, calada. Por fim, disse:

— Há alguma coisa esquisita nisso tudo, não é, sr. Poirot?

— Sim, minha filha. Há alguma coisa estranha nesse caso. Depois você talvez seja capaz de me ajudar.

— Eu... eu desejo fazer algo, senhor. Não foi nada *direito*, senhor, minha tia ser morta assim.

Era uma maneira pouco usual de colocar a questão, mas profundamente tocante.

Instantes depois nós já estávamos retornando a Andover.

6

A CENA DO CRIME

A RUA ONDE OCORRERA O TRÁGICO acontecimento ficava numa transversal da rua principal. A lojinha da sra. Ascher estava localizada a meio caminho mais abaixo, no lado direito.

Quando dobramos a rua, Poirot olhou seu relógio e eu compreendi por que ele adiara sua visita à cena do crime até agora. Eram exatamente cinco e meia. Poirot desejara reproduzir a atmosfera do dia anterior o mais fielmente possível.

Mas se tal fora seu propósito, este não se concretizara. Certamente naquele momento a rua apresentava um clima bem pouco semelhante ao do fim de tarde da véspera. Havia ali um certo número de pequenas lojas intercaladas com casas habitadas por pessoas de classe humilde. Pensei que normalmente ali deveria haver um bom número de pessoas indo e vindo rua abaixo e acima — na maioria gente das classes menos favorecidas, é comum um punhado de crianças brincando nas calçadas e na rua.

Naquele momento, via-se uma massa compacta de curiosos contemplando uma casa particular ou loja e não era preciso ser perspicaz para compreender do que se tratava. O que víamos agora era um punhado de seres humanos comuns, observando com vivo interesse o local onde um outro ser humano encontrara a morte.

E tal fato foi constatado por nós assim, que nos aproximamos mais. Na frente de uma pequena e acanhada loja, com suas persianas agora abaixadas, estava parado um jovem policial de ar embaraçado que se obstinava em concitar a pequena multidão de curiosos a se dispersar. Com a ajuda de um colega, clarões foram logo abertos. Algumas pessoas, murmurando, relutantes, acabaram por se afastar de volta às suas ocupações particulares. Mas quase imediatamente outras vieram substituí-las, pondo-se a olhar com curiosidade para o local onde o crime fora cometido.

Poirot parou a pouca distância do principal amontoado de curiosos. De onde estávamos agora era fácil ler o letreiro que encimava a porta da loja, e Poirot repetiu num só fôlego o que estava escrito ali.

— A. Ascher. *Oui, c'est peut-être là...*
Deu dois passos adiante, dizendo:
— Venha, Hastings. Vamos entrar aí.
Eu me mostrei pronto a acompanhá-lo.

Abrimos caminho entre a pequena multidão de curiosos, acercando-nos do jovem policial. Poirot lhe mostrou as credenciais que o inspetor Glen lhe fornecera. O guarda assentiu e abriu a porta para que entrássemos. Foi o que fizemos sob o olhar interessado dos curiosos.

No interior da pequena loja estava muito escuro devido às persianas se acharem baixadas. O policial encontrou o interruptor, acendendo a lâmpada, mas esta se encontrava tão empoeirada que a luz produzida se fez quase insuficiente.

Olhei o que me cercava. Era um recinto pequeno e pardacento. Vi algumas revistas baratas espalhadas junto com jornais da véspera, tudo com a poeira de um dia inteiro como cobertura. Atrás do balcão, uma enfiada de prateleiras alcançava o teto, guarnecidas de pacotinhos de fumo e maços de cigarros. Havia também dois potes com pastilhas de cevada e hortelã pimenta. Uma lojinha pequena e muito comum, como milhares de outras.

Com seu sotaque arrastado de Hampshire, o policial foi relatando o cenário do crime.

— Ela estava caída naquele canto atrás do balcão. O doutor declarou que a vítima nem chegou a ver quem a golpeou. Devia estar procurando algo nas prateleiras.

— Ela não segurava nada ao ser assassinada? — indagou Poirot.

— Não, senhor, mas havia um maço de cigarros Player ao seu lado.

Poirot balançou a cabeça. Passeou o olhar pelo reduzido local, observando tudo, anotando mentalmente.

— E o guia ferroviário, onde estava?

— Aqui, senhor. — O guarda indicou um ponto sobre o balcão. — Estava aberto, voltado para baixo, exatamente na página referente a Andover. Como se a pessoa interessada estivesse querendo saber o horário dos trens para Londres e outros detalhes. Pelo jeito, não se tratava de um residente em Andover. Nesse caso, naturalmente, o guia deve pertencer a alguém que nada teve a ver com o crime, apenas o esqueceu aí.

— E as impressões digitais? — insinuei.

O policial moveu a cabeça em negativa.

— Tudo aqui foi revistado meticulosamente, senhor. Não descobrimos nada nesse sentido.

— Nem sobre o balcão? — perguntou Poirot.

— Uma boa quantidade delas, senhor! Mas tudo embaralhado.

— Entre essas impressões não encontraram as de Franz Ascher?

— É cedo ainda para afirmar, senhor.

Poirot assentiu, e então indagou se a falecida morava nos altos da loja.

— Sim, senhor. Passando por aquela portinha irá dar nos fundos. Desculpe se eu não os acompanho, mas tenho que ficar de guarda aí fora...

Poirot passou pela porta indicada e eu o acompanhei. Encontramos um tipo microscópico de sala de visitas e cozinha combinadas. Tudo arrumado e limpo, mas bastante modesto e escassamente mobiliado. Sobre o parapeito da lareira havia algumas fotografias. Aproximei-me para olhá-las e Poirot fez o mesmo.

Eram três fotos ao todo. Uma era um retrato comum da jovem com quem tínhamos nos avistado naquela tarde, Mary Drower. Obviamente, ela vestira suas melhores roupas na ocasião e exibia aquela expressão meio forçada, o sorriso posado que comumente deturpa a fisionomia e rouba a naturalidade das pessoas numa foto posada, e nos faz preferir um instantâneo de rua.

A segunda fotografia, em papel mais caro, era a reprodução mais artística, embora já meio apagada, de uma velha senhora de cabelos brancos. O pescoço era envolvido por uma gola alta de peliça.

Imaginei tratar-se provavelmente da srta. Rose, que deixara uma pequena herança para a sra. Ascher que permitira a esta abrir a pequena loja.

A terceira foto fora tirada há muitos anos atrás, estando agora muito desbotada. Nela apareciam um moço e uma jovem de roupas antigas e de braço dado. O homem ostentava uma botoeira e notava-se naquela pose um ar festivo de outros tempos. O toque de algo fanado.

— Certamente um retrato de casamento — disse Poirot. — Veja, Hastings, não lhe falei que ela tinha sido uma mulher bonita?

Ele tinha razão. Transfigurada por aquele penteado fora de moda e as roupas que agora pareciam estranhas e fantásticas, não havia dúvida de que a moça da foto tinha feições bem-recortadas e um porte gracioso e vivaz. Fixei-me a seguir no homem da fotografia. Era quase impossível reconhecer naquele jovem delgado e de ar marcial o malvestido e rude Ascher de agora.

Evoquei a imagem do velho homem lúbrico e bêbado, e a fisionomia sofrida e envelhecida da mulher morta, um pouco perturbado diante da obra impiedosa do tempo...

Partindo da saleta, uma escada levava aos dois quartos de cima. Um deles estava vazio e sem mobília, o outro fora ocupado evidentemente pela falecida. Depois de ser revistado pela polícia, tudo ali fora deixado como antes. Duas velhas e gastas mantas sobre a cama, uma pequena pilha de roupas íntimas já bem-usadas numa gaveta de armário, utensílios de cozinha num outro, uma novela em edição de bolso intitulada *O verde oásis*, um par de meias novas, patéticas em sua seda barata, um par de bibelôs de porcelana — um pastor de Dresden já meio rachado, e um cachorrinho pintado de amarelo e azul —, um impermeável preto e uma blusa de lã pendurada num cabide, eis aí todos os bens materiais da falecida Alice Ascher.

Se havia ali antes documentos pessoais da morta, a polícia os recolhera.

— *Pauvre femme* — murmurou Poirot. —Vamos indo, Hastings, não há nada para nós aqui.

De novo fora da loja, Poirot hesitou um instante, então atravessou a rua. Quase que exatamente do lado oposto ao da loja da sra. Ascher via-se uma quitanda, dessas que exibem sua mercadoria mais na porta do que no interior.

Em voz baixa, Poirot deu-me certas instruções. Então, entrou na quitanda. Após aguardar um minuto ou dois, eu o segui. No momento, ele estava comprando molhes de alface. Resolvi comprar meio quilo de morangos.

Poirot agora conversava animadamente com a robusta quitandeira.

— Foi justamente em frente à sua quitanda que o crime ocorreu. Que coisa! Deve ter tido uma sensação muito desagradável, não?

A quitandeira devia estar, naturalmente, cansada de ouvir falar sobre o crime. Devia ter tido um dia cheio a esse respeito. Assim observou:

— Seria bom também que aquela gente toda amontoada ali desaparecesse. O que há ali para se ver, pode me dizer?

— Deve ter sido bem diferente na noite passada — disse Poirot. — Talvez a senhora tenha visto o assassino entrar na tabacaria... um homem alto, de boa aparência e com uma barba... Um russo, segundo ouvi dizer.

— Como? — A mulher olhou-o de modo penetrante. — Diz que foi um russo que fez isso?

— Penso que a polícia o prendeu.

— Mais essa agora! — A quitandeira estava agitada com a novidade. — Um estrangeiro.

— *Mais oui*. Quem sabe a senhora não o viu ontem à noite?

— Bem, o fato é que não tenho tempo para andar espiando as pessoas que passam. Vivo muito ocupada o dia inteiro e há sempre um bocado de gente passando pela rua de volta do trabalho. Um homem alto, bem-aprumado, barbudo... não, posso dizer que não vi ninguém parecido andando por aqui.

Eu entrei em cena, cumprindo meu papel.

— Perdão, senhor — disse para Poirot. — Penso que foi mal-informado. Disseram-me que o tal homem era baixo e *moreno*.

Iniciou-se uma viva discussão da qual participaram a robusta quitandeira, seu mirrado esposo e um empregadinho de voz rouca. Nada menos do que quatro homens baixos e morenos tinham sido observados então, e o rapazinho de voz rouca vira um tipo alto e bem-apessoado — "mas sem barba", acrescentara em tom lamentoso.

Por fim, tendo concluído nossas compras, deixamos a quitanda, sem que percebessem nossas imposturas.

— Pode me dizer qual a razão de tudo isso, Poirot? — indaguei num tom recriminativo.

— *Parbleu*, eu queria testar a possibilidade de um estranho ter sido visto entrando na loja aí em frente.

— E não poderia ter perguntado diretamente... sem toda essa teia de mentiras?

— Não, *mon ami*. Se eu tivesse "simplesmente perguntado", como você desejaria, não obteria resposta às minhas indagações. Você é um inglês e, no entanto, não parece conhecer a reação natural dos ingleses diante de uma pergunta direta. Invariavelmente se mostram desconfiados, e o resultado lógico disso é uma evasiva. Se eu tivesse indagado a essas pessoas visando obter informações, teriam se trancado em silêncio como ostras. Mas ao fazer uma observação, de algum modo fora de propósito e grotesca como foi o caso, e pela própria contradição nela contida, de imediato as línguas se desatam. Sabemos também que na ocasião do incidente fatídico todos estavam "ocupados", isto é, cada um cuidando de seus próprios interesses, e devia haver um bom número de pessoas indo e vindo pelas ruas. Nosso assassino soube escolher sua hora, Hastings.

Poirot fez uma breve pausa e então me dirigiu um reprimenda:

— Será que você não tem um pingo de bom senso, Hastings? Eu lhe disse: Faça uma compra *quelconque*, e você deliberadamente escolheu morangos! Agora eles já começam a umedecer sua sacola e ameaçam manchar seu belo terno.

Com certo desgosto, percebi que tal coisa de fato estava ocorrendo.

Apressadamente, entreguei os morangos a um menino, que se mostrou bastante surpreso com meu gesto insólito e me olhou desconfiado.

Poirot aumentou a oferta e a admiração do garoto ao dar-lhe os molhes de alface. Fomos andando e Poirot prosseguiu em sua lição de moral doméstica:

— Numa simples quitanda *não* se compra morangos. Um morango, a menos que seja colhido fresco, só serve para fazer suco. Uma banana, algumas maçãs, ou mesmo um repolho, servem no caso, mas *morangos*...

— Foi a primeira coisa em que pensei na hora — adiantei como uma espécie de justificativa.

— Isso não é digno de sua imaginação — retrucou Poirot, inflexível.

Então eu o vi parar na calçada.

A casa e loja à direita da tabacaria da sra. Ascher estava vazia. Na janela da frente via-se uma tabuleta de "Aluga-se". Do outro lado, ficava uma casa com alguma coisa parecida com cortinas de musselina encardida.

Poirot resolveu parar diante da tal casa e, na falta da campainha, improvisou uma série de batidas surdas com a aldrava.

A porta foi aberta após alguma demora por um garotinho de roupa bem suja e um nariz que chamava a atenção.

— Boa tarde — disse Poirot. — Sua mãe está em casa?

— Sim — respondeu o menino, com entonação de desconfiança.

Ele nos olhava de maneira desfavorável.

— Pode chamá-la? — perguntou Poirot.

O menino levou alguns segundos para aceder e, então, voltou-se para o interior da casa, gritando na direção das escadas: "Mãe, querem falar com você!", e afastou-se com alguma pressa por um corredor.

Uma mulher com expressão meio agressiva nos olhou lá de cima e então começou a descer a escada.

— Não percam seu tempo aqui... — ela principiou a dizer, mas Poirot a interrompeu.

Tirando o chapéu e fazendo um gentil cumprimento, ele disse:

— Boa tarde, madame. Eu trabalho para o *Evening Flicker*. Espero persuadi-la a aceitar umas cinco ou seis libras em troca de um artigo sobre a sua falecida vizinha, a sra. Ascher.

A mulher refugou novas palavras ásperas e acercou-se de nós, alisando o cabelo e ajeitando a blusa amarrotada.

— Podem entrar, por favor... É por aqui, à esquerda. Venham sentar-se aqui.

A pequenina sala estava muito atravancada com uma mobília pseudamente jacobiana, mas com certa habilidade conseguimos mover-nos ali e nos instalar num sofá de assento duro.

— O senhor deve me desculpar — começou a dizer a mulher. — Saiba que lamento muito ter falado com aspereza com o senhor há pouco, mas nem pode imaginar a confusão que se arma aqui todos os dias, com indivíduos aparecendo para vender isso ou aquilo... aspiradores de pó, meias, perfumes e coisas desse tipo. E sempre muito persuasivos e amáveis. Verdade seja dita, bom papo eles todos têm. E nos tratam pelo nome, "sra. Fowler" para cá, isso e aquilo outro.

Já ciente do nome da dona da casa, Poirot disse:

— Bem, sra. Fowler, espero que possa atender ao meu pedido.

— Não sei como atendê-lo. Não conhecia bem a... — As cinco libras foram colocadas por Poirot bem diante dos olhos da sra. Fowler, que corrigiu ligeiramente o que dissera antes: — Eu *conheci* a sra. Ascher, naturalmente, mas não poderia *escrever* sobre ela.

Hercule Poirot lhe assegurou que toda a sua colaboração se restringiria a contar o que sabia sobre a falecida. Daí, ele, Poirot, usaria esses dados para redigir a entrevista. Tranquilizada desse modo, a sra. Fowler se pôs a alinhavar lembranças, conjeturas e fofocas domésticas.

— A sra. Ascher vivia uma vida muito reservada. Não era o que se poderia chamar de uma pessoa *amigável*, mas ela tinha um bocado de aborrecimentos e problemas, pobre coitada, todo mundo ali sabia. E pelo direito — observou a sra. Fowler — Franz Ascher já devia ter sido preso há anos. Não que a sra. Ascher o temesse, ela podia virar fera quando molestada! Assim como podia se comportar como uma boa criatura nas demais ocasiões. Mas tantas vezes o cântaro vai à fonte que um dia pode se quebrar.

Muitas vezes, ela, Mary Fowler, dissera a Alice Ascher: "Qualquer dia desses, ele acaba com você. Grave bem o que digo." E ele acabou fazendo isso, não foi? E ela, Mary Fowler, morava perto da amiga mas nunca a ouvira se queixar.

Poirot aproveitou a pausa feita pela sra. Fowler para indagar se Alice Ascher chegara a receber cartas anônimas onde figurava apenas a abreviatura ABC.

Infelizmente a resposta da sra. Fowler foi negativa.

— Conheço esse tipo de coisa de que está falando; cartas sem assinatura, na maioria das vezes recheadas de palavras que alguém se envergonha de dizer em voz alta. Bem, na verdade, não sei se Franz Ascher chegou a escrever tais coisas. A sra. Ascher nunca me diria se fosse o caso. O que significa essa história do ABC? Refere-se ao guia de trens? Não, nunca vi nada disso, mas tenho certeza de que se a sra. Ascher tivesse recebido uma carta dessas eu acabaria sabendo algo. Eu estava muito ocupada quando se deu o crime. Foi minha garota Edie que veio me chamar. "Mãe", ela disse, "há um bocado de policiais na porta da tabacaria." Eu me sobressaltei. Mas acabei por dizer, quando soube do que acontecera: "Bem, isso mostra que ela não devia viver sozinha naquela casa. Aquela sobrinha devia morar com ela. Um homem bêbado pode agir como um lobo enraivecido." E disse também: "E na minha opinião, uma fera selvagem não é melhor nem pior do que o demônio do marido dela. Eu já a avisara muitas vezes e agora minhas palavras se cumpriram. Azar que não me ouvisse então." E ele acabou matando-a! Nunca se sabe direito o que um homem é capaz de fazer quando bêbado, e esse crime é uma prova disso.

A sra. Fowler concluiu suas palavras soltando um suspiro fundo.

— Ninguém viu esse tal Ascher entrar na loja, não é mesmo? — perguntou Poirot.

A sra. Fowler torceu o nariz com ironia.

— Naturalmente que ele não ia querer se mostrar.

Como o sr. Ascher poderia entrar na loja sem se deixar ver, isto a sra. Fowler não se dignou a explicar. Ela concordou que não havia nenhuma porta nos fundos da casa e que Ascher era muito bem-conhecido de vista na vizinhança.

— Mas ele não desejava ser apanhado e soube se ocultar bem.

Poirot deixou a conversa render mais alguns minutos, mas quando ficou evidente que a sra. Fowler já contara tudo que sabia, não somente uma vez, mas várias, ele deu por encerrada a entrevista, pagando primeiro a quantia prometida à dona da casa.

— Mereceu exatamente as cinco queridas libras, Poirot — me arrisquei a observar assim que saímos da casa da sra. Fowler.

— Até agora, sim.

—Você acha que ela sabe mais do que nos contou?

— Meu amigo, estamos na peculiar situação de *não sabermos que perguntas faremos*. Estamos agora como crianças brincando de esconde-esconde, no escuro. Estendemos nossas mãos e agarramos o que for. A sra. Fowler nos contou tudo que ela *pensa* que sabe... e fez um bocado de conjeturas! No correr dos dias, contudo, seu testemunho poderá ser útil. E foi visando o futuro que eu investi aquelas cinco libras.

Não entendi bem a que ele se referia precisamente, mas nesse momento já nos dirigíamos ao encontro do inspetor Glen.

7

O Sr. Partridge e o Sr. Riddell

O INSPETOR GLEN ESTAVA COM UMA expressão taciturna. Soube que ele passara a tarde toda tentando obter uma lista completa de pessoas que teriam sido vistas entrando na loja da sra. Ascher no dia do crime.

— E ninguém chegou a ver ninguém? — perguntou Poirot.

— Mas sim, viram até demais. Três homens altos com ar suspeito, quatro sujeitos baixos com bigode preto... dois barbudos... três gorduchos, todos estrangeiros, e todos também, a se acreditar nas testemunhas, com expressões sinistras! Não me surpreenderia se alguém visse rondando o local uma gangue mascarada e com revólveres!

Poirot sorriu, com ar complacente, perguntando:

— Ninguém declarou ter visto o tal Ascher?

— Não, não o viram. Esse é outro ponto a favor dele. Acabei de falar com o delegado que, na minha opinião, este é um assunto para a Scotland Yard. Não o considero um crime local.

— Concordo com você — disse Poirot em tom sério.

— Como vê, Monsieur Poirot — disse o inspetor — trata-se de um caso sórdido... repelente e eu não gosto disso...

Nós ainda mantivemos duas entrevistas antes do retorno a Londres.

A primeira foi com o sr. James Partridge. Ao que se sabia, fora a última pessoa a ver a sra. Ascher com vida. Ele fizera uma compra na tabacaria às 5 e 30.

O sr. Partridge era de pequena estatura, um bancário nato. Usava um pincenê, era muito seco, de olhar fugidio e extremamente preciso em todas as suas observações. Morava numa pequena casa tão limpa e bem-arrumada como seu dono.

— Mon...sieur Poirot — disse ele, olhando o cartão que meu amigo lhe apresentara. — Da parte do inspetor Glen? Em que posso servi-lo, sr. Poirot?

— Pelo que sei, o senhor foi a última pessoa a ver a sra. Ascher ainda viva.

O sr. Partridge juntou as pontas de seus dedos e olhou para Poirot como se estivesse vendo um cheque de aspecto duvidoso.

— Eis aí um detalhe discutível, sr. Poirot. Outras pessoas podem ter feito compras na loja da sra. Ascher depois de mim.

— Se assim foi, ninguém apareceu para prestar declarações.

O sr. Partridge pigarreou, retrucando:

— Algumas pessoas, sr. Poirot, carecem de senso do dever público.

E ele nos olhou como uma coruja através dos óculos.

— Uma verdade lapidar — murmurou Poirot. — E o senhor pelo que vejo, procurou a polícia espontaneamente.

— Certamente que sim. Logo que soube da chocante ocorrência, compreendi que meu depoimento podia ser útil e me apressei a ir prestá-lo.

— Uma atitude realmente acertada — disse Poirot, de modo solene. — Talvez possa ter a gentileza de repetir agora sua história para mim.

— Sem dúvida. Voltava para esta casa e às 5h30 precisamente...

— Perdão, como sabia a hora com tanta exatidão?

O sr. Partridge olhou-o meio aborrecido com a interrupção.

— O relógio da igreja acabara de tocar. Consultei meu relógio e verifiquei estar um minuto atrasado. Isso ocorreu justamente antes que eu entrasse na loja da sra. Ascher.

— Costuma fazer compras ali?

— Com frequência. É no caminho para minha casa. Uma ou duas vezes por semana costumava comprar umas cem gramas de fumo John Cotton.

— Conhecia de certo modo a sra. Ascher? Algo de sua vida particular?

— Absolutamente nada. Afora o fumo que eu comprava e uma observação casual referente ao tempo, por exemplo, nunca conversei com ela.

— Não sabia que o marido dela era um bêbado que vivia ameaçando matá-la?

— Não, eu nada sabia a respeito dela.

— Mas a conhecia de vista, contudo. Não terá notado qualquer coisa de anormal na sra. Ascher ontem ao cair da tarde? Ela não parecia agitada ou algo assim?

O sr. Partridge pensou um pouco antes de responder:

— Pelo que pude notar, ela parecia a mesma de sempre.

Poirot levantou-se, dizendo:

— Obrigado, sr. Partridge, por responder a essas perguntas. Terá, por acaso, um ABC aqui? Gostaria de saber algo sobre minha volta de trem a Londres. Horário e outros detalhes.

— Está na estante logo atrás do senhor — disse o sr. Partridge.

Na mencionada estante havia realmente um ABC, um Bradshaw, o *Livro do ano das finanças*, o Anuário Kellw, um *Quem é quem* e um indicador local.

Poirot folheou o ABC sob o pretexto de observar o horário de determinado trem, então depôs o catálogo na estante, agradeceu de novo ao sr. Partridge e saímos.

Nosso próximo encontro foi com o sr. Albert Riddell e se caracterizou por um clima bem diferente. O sr. Riddell era um assentador de trilhos e nossa conversa teve o acompanhamento pouco musical de pratos e travessas dispostos na mesa pela esposa do sr. Riddell, obviamente nervosa, dos rosnados do cão do dono da casa e da indisfarçável hostilidade do próprio sr. Riddell.

Tratava-se de um homem de físico muito avantajado, meio desajeitado, de rosto largo e olhos miúdos, suspicazes. Ele estava atacando no momento um pastelão de carne, regado com grandes goles de chá preto. Lançou-nos um olhar meio irritado por cima da grande xícara.

— Então querem que eu repita tudo que já disse? — resmungou. — Que querem mais de mim, não vão me deixar sossegado? Contei tudo para a maldita polícia, e agora tenho que repetir tudo de novo para uma dupla de excomungados forasteiros...

Poirot me dirigiu um rápido e divertido olhar de alerta e então disse:

— Para dizer a verdade, compreendo a sua situação, mas o que se pode fazer? Trata-se de um caso de assassinato, certo? É preciso ser muito, muito meticuloso.

— Melhor contar ao cavalheiro o que ele quer saber, Bert — disse a mulher do ferroviário, nervosa.

— Você aí vê se cala essa maldita boca — bradou o gigante.

— Tenho a impressão que você não foi à polícia por livre vontade. — Poirot fez a observação de maneira bem concisa.

— E por que cargas d'água eu deveria ir? O caso não era da minha conta.

— É uma questão de opinião — retrucou Poirot, com indiferença. — Afinal de contas, houve um crime e a polícia desejava saber quem fora visto na loja... Pessoalmente, acho que teria, como direi?, parecido mais natural se você se apresentasse espontaneamente na delegacia.

— Tenho meu trabalho para fazer. Não me diga que deveria ir lá em hora de serviço...

— Mas o fato é que na polícia deram seu nome como o de uma pessoa que fora vista entrando na tabacaria da sra. Ascher e tinham de procurá-lo. Eles ficaram satisfeitos com seu depoimento?

— E por que não iriam ficar? — replicou Bert, rudemente.

Poirot se limitou a dar de ombros.

— Que está querendo dizer com isso, senhor? Será que alguém tem algo contra mim? Todo mundo sabe quem matou aquela velhota, foi aquela besta do marido dela.

— Mas ele não foi visto nas imediações da loja naquele fim de tarde e você, sim.

— Tentando me enrolar agora, hein? Mas perde seu tempo. Que motivo tinha eu para fazer uma coisa daquelas? Acha que iria furtar umas pitadas daquele fumo infame vendido ali? Acha que sou o que chamam de maníaco homicida? Acha que eu?...

O corpulento ferroviário se ergueu ameaçador. Sua mulher interveio:

— Bert, Bert... não diga essas coisas. Bert, eles não acham...

— Acalme-se, senhor — disse Poirot. — Quis apenas ouvir a versão que apresentou à polícia de sua passagem pela loja. O fato de querer se negar a me atender não parece, digamos, um pouco estranho?

— E quem disse que eu neguei alguma coisa? — O sr. Riddell tornou a se sentar. — Não disse isso.

— Eram seis horas quando você entrou na tabacaria?

— Correto, um minuto ou dois, para ser mais preciso. Ia comprar um maço de Gold Flake. Eu ia abrir a porta...

— Ela estava fechada, então?

— Sim. Pensei que a dona resolvera fechar mais cedo a loja. Mas não. A porta não fora fechada à chave. Entrei e não vi ninguém lá dentro. Dei umas pancadinhas no balcão e esperei um pouco. Ninguém veio atender, e, então, saí da loja. Eis tudo, e você pode engolir isso se quiser.

— Não viu o corpo caído atrás do balcão?

— Não, não iria fazer isso, a menos que estivesse interessado em algo ali, talvez.

— Havia um guia de trens sobre o balcão?

— Sim, com a capa voltada para baixo. Na hora me veio a ideia de que a velha talvez tivesse que viajar de trem de repente e assim dera uma olhadela no guia e depois o esquecera, como também de fechar a loja.

— Você tocou no catálogo ou o empurrou por sobre o balcão sem querer?

— Não toquei na — novo palavrão — ... coisa. Fiz exatamente o que disse.

— E não viu ninguém sair da loja antes de você entrar ali?

— Não vi coisa alguma. Por que isso, eu pergunto? Por que me acusam?

Poirot se levantou, dizendo em tom cordial:

— Ninguém o está acusando... ainda. *Bonsoir*, senhor.

Deixou o homenzarrão de boca aberta e saímos. Na rua, Poirot olhou seu relógio e observou:

— Se nos apressarmos, meu amigo, poderemos pegar o trem das 7h20. Vamos apertar o passo.

8

A SEGUNDA CARTA

— BEM, E ENTÃO? — PERGUNTEI EXPECTANTE.

Estávamos instalados num vagão de primeira classe, praticamente sós. O trem expresso acabara de sair de Andover.

— O crime — disse Poirot — foi cometido por um homem de estatura mediana, de cabelo ruivo e um leve estrabismo no olho esquerdo. Ele puxa ligeiramente da perna direita e tem um sinal de nascença bem embaixo da omoplata.

— Poirot! — exclamei surpreso.

Por um instante, eu me deixei impressionar pelo que ouvira. Então o leve piscar de olhos de meu amigo me fez perceber o blefe.

— Poirot! — repeti, mas agora em tom reprovador.

— Mas o que quer, *mon ami*? Você me encara com um ar de devoção canina, e exige de mim um pronunciamento à la Sherlock Holmes! Agora falemos a verdade: *Eu não sei como é o assassino, nem onde vive e nem como pôr as mãos nele.*

— Se ao menos ele tivesse deixado alguma pista — murmurei.

— Sim, a pista... é sempre ela que atrai você. Uma pena que ele não fumasse deixando a cinza cair e então pisasse nesta com um sapato que tivesse uma sola de padrão especial... Não, ele não é tão prestimoso. Mas, pelo menos, meu amigo, você tem o *guia de trens*. O ABC, que é uma pista para você!

— E supõe que ele o deixou lá então por engano?

— Naturalmente que não. Deixou-o de propósito. O detalhe das impressões digitais o evidencia.

— Mas se não havia nenhuma em especial...

— É o que eu queria explicar. Como se apresentava o tempo ontem? Era uma noite quente de junho. E numa ocasião assim um homem deveria usar luvas? Quem o fizesse na certa teria chamado a atenção. Portanto, desde que não há nenhuma impressão digital no ABC, é porque foi cuidadosamente apagada. Uma pessoa inocente teria deixado impressões... uma outra, culpada, não. Assim, nosso assassino deixou o guia lá com um propósito... mas, apesar disso, não deixa de ser uma pista. Aquele ABC foi comprado por alguém, e foi levado também por alguém, existe uma possibilidade aí.

— Acha que podemos apurar algo seguindo esse caminho?

— Francamente, Hastings, não me sinto particularmente esperançoso. Esse homem, o desconhecido X, orgulha-se obviamente de sua habilidade. Não parece disposto a indicar uma trilha que possa ser seguida diretamente.

— Então, o ABC não será realmente útil.

— Não no sentido que você imagina.

— E em que outro sentido então?

Poirot não respondeu de imediato. Depois disse pausadamente:

— A resposta não é fácil de dar. Estamos às voltas com um personagem desconhecido. Ele se acha no escuro e procura permanecer na escuridão. Mas na verdade *ele não pode recorrer a nenhuma ajuda para lançar um pouco de luz sobre si mesmo*. Num certo sentido, nada sabemos a seu respeito, em outro já conhecemos um bocado. Eu o imagino vagamente ganhando a forma de um homem que escreve com clareza e correção... que usa papel de carta de boa qualidade... que tem uma grande necessidade de demonstrar sua personalidade. Eu o vejo como alguém possivelmente ignorado e passado para trás quando criança... Vejo-o crescer com um acentuado sentimento de inferioridade, atormentado por um sentimento de injustiça... Imagino sua ansiedade premente de autoafirmação, para chamar atenção sobre si mesmo que se torna cada vez mais forte, e fatos e circunstâncias rebaixando-o, acarretando, talvez, mais humilhações para ele. E intimamente a fixação na poeira do trem como um adversário...

— Tudo isso é simples conjetura — objetei. — Não trará nenhum resultado prático.

— Você prefere o toque final, a cinza do cigarro, as botas cravadas! Sempre o mesmo. Mas pelo menos podemos formular a nós mesmos algumas indagações de natureza prática. Por que o ABC? Por que a sra. Ascher? Por que Andover?

— O passado daquela senhora parece bastante simples — observei, pensativo. — As entrevistas com aqueles dois homens foram decepcionantes. Nada nos disseram além do que já sabíamos.

— Para ser franco, não esperava muito deles. Mas não se podia descartar dois possíveis candidatos ao assassinato.

— Não está querendo dizer que...

— Há pelo menos uma possibilidade de que o criminoso viva em Andover ou muito próximo. Eis aí uma possível resposta a nossa indagação: Por que Andover? Bem, temos aí dois homens conhecidos naquela cidade que estiveram na loja numa hora conveniente. Qualquer um deles *pode* ser o assassino. E não há nada ainda que demonstre *não* ser um dos dois o assassino.

— Talvez aquele brutamontes de Riddell — arrisquei.

— Oh, estou propenso a descartar o Riddell. É nervoso, impulsivo, obviamente desajeitado...

— Mas tudo isso mostra justamente...

— Alguém de índole diametralmente oposta a de quem elaborou a carta com o ABC. As características em que devemos nos fixar são presunção e autoconfiança.

— Alguém que se julga o maioral?

— Possivelmente. Mas também uma pessoa sensível e que simula modéstia, dissimulando uma grande dose de vaidade e autossatisfação.

— Não está pensando que aquele insignificante sr. Partridge...?

— Ele faz mais *le type*. E posso acrescentar mais. Ele age como o autor da carta deveria proceder, comparece na hora indicada no distrito policial, coloca-se logo à disposição, desfruta de sua posição.

— E pensa realmente que ele...

— Não, Hastings. Pessoalmente creio que o assassino não vive em Andover, mas não devemos ignorar nenhum caminho de busca. E, embora eu venha me referindo a "ele" o tempo todo, não podemos excluir a possibilidade de uma mulher ser a culpada.

— Certamente que não!

— Concordo que a feitura do crime se ajusta mais a um homem. Mas cartas anônimas são escritas de preferência por mulheres. Temos que levar isso em conta.

Depois de breve silêncio, perguntei:

— Que faremos agora?

— Meu operoso Hastings — disse Poirot, sorrindo para mim.

— Nada disso, mas o que vamos fazer?

— Nada.

— Nada?

Meu desapontamento era muito evidente.

— Serei por acaso um mágico? Um bruxo? O que faria você em meu lugar?

Analisei bem a questão e achei difícil encontrar uma resposta. No entanto, estava convencido de que algo tinha de ser feito e que não devíamos deixar o tempo passar à toa por nós.

Assim, observei:

— Há o ABC... e o papel de carta e o envelope...

— Naturalmente que algo está sendo investigado nesse sentido. A polícia dispõe de todos os recursos para esse tipo de investigação. Se houver qualquer indício revelador no material examinado, pode estar certo de que eles o descobrirão.

Diante disso me vi forçado a aceitar a realidade dos fatos.

Nos próximos dias, notei que Poirot se mostrava estranhamente desligado do caso de Andover. Quando eu tentava retomar o assunto, ele me interrompia com um gesto impaciente.

Receava particularmente que ele mergulhasse numa depressão. Afinal, Poirot sofrera uma derrota no caso da morte da sra. Ascher. O ABC o desafiara... e vencera. Meu amigo, acostumado a obter sucessivos êxitos em sua carreira, mostrava-se sensível ao seu fracasso de agora, tanto assim que não podia nem mesmo tolerar que se discutisse o assunto. Era, talvez, um sinal de fraqueza em tão grande homem, mas mesmo o mais equilibrado dos mortais é passível de se deixar arrebatar pelo sucesso. No caso de Poirot, esse processo de envaidecimento tinha se desenvolvido anos a fio. Causava até certa surpresa que seus efeitos só se tornassem notados após tanto tempo.

Compreensivo, respeitei essa pequena fraqueza de meu amigo e não fiz mais referências ao caso. Li num jornal um resumo do inquérito policial. Bem sumário, sem qualquer alusão à carta de ABC. A conclusão a que chegaram era a de crime cometido por alguma pessoa, ou pessoas desconhecidas. O caso despertou pouca atenção por parte da imprensa. Não apresentava nenhuma atração popular ou lances espetaculares. O assassino de uma mulher idosa numa rua humilde logo cedeu lugar, nos jornais, a assuntos mais emocionantes.

Para falar a verdade, o caso quase foi esquecido por mim, exceto, penso eu, pelo fato de me desgostar ver Poirot associado de algum modo a um fracasso. Até que, em 22 de julho, o assunto foi reavivado.

Já não via Poirot há uns dois dias porque eu fora passar o fim de semana em Yorkshire. Retornei a Londres na segunda-feira à tarde e a carta chegou pelo correio às seis horas. Recordo bem como Poirot inspirou profundamente ao abrir aquele envelope.

— Ele chegou — disse Poirot, lacônico.

— Quem chegou?

— O segundo capítulo do caso ABC.

Por um instante eu o olhei intrigado. Aquele assunto realmente quase me fugira da memória.

— Leia — disse Poirot, passando a carta às minhas mãos.

Como da vez anterior, fora escrita em papel de boa qualidade.

```
Caro sr. Poirot. Bem, e agora? Primeiro tento
a meu favor, acredito. O caso de Andover foi
uma jogada bem-sucedida, não?
```

Mas o passatempo está apenas começando. Permita-me chamar sua atenção para Bexhill-on-Sea. Data: 25 desse mês.

Que período divertido estamos vivendo!

Atenciosamente, seu

ABC

— Meu Deus, Poirot! — exclamei. — Quer dizer então que esse demônio vai cometer outro crime?

— Sem dúvida, Hastings. Que mais você esperava? Achava que o caso de Andover era um incidente isolado? Não se lembra mais do que eu lhe disse: "Esse é apenas o começo"?

— Mas isso é terrível!

— Concordo com você.

— Estamos às voltas com um maníaco homicida.

— Sim.

Sua fleuma era mais impressionante do que qualquer gesto grandiloquente que viesse a exibir. Eu lhe devolvi a carta com ar de estranheza.

Na manhã seguinte, as autoridades locais se reuniam. Poirot e eu estávamos presentes. Conosco, o delegado de Sussex, o comissário-assistente da Cid, o inspetor Glen de Andover, o superintendente Carter da polícia de Sussex, Japp e um inspetor mais moço chamado Crome, e também o dr. Thompson, conhecido psiquiatra. O carimbo dessa segunda carta era de Hampstead, mas na opinião de Poirot tal detalhe tinha pouca importância.

O assunto foi discutido exaustivamente. O dr. Thompson era um homem afável, de meia idade e que, apesar de seus amplos conhecimentos, preferia se expressar numa linguagem familiar, evitando os termos técnicos característicos de sua profissão.

— Não há dúvida que as duas cartas têm caligrafia idêntica. Ambas foram escritas pela mesma pessoa.

— E podemos pressupor com toda razão que essa pessoa foi a responsável pelo crime cometido em Andover.

— Certamente. Agora estamos diante de um aviso definido de um segundo crime com data marcada para 25 desse mês, depois de amanhã... em Bexhill. Que providências serão tomadas?

O delegado de Sussex olhou seu superintendente, perguntando:

— Bem, Carter, o que acha disso?

O superintendente balançou a cabeça com ar muito sério.

— Está difícil, senhor. Não há o menor indício de quem possa ser a próxima vítima. Com toda a honestidade e franqueza, que medidas *podemos* tomar?

— Tenho uma sugestão — murmurou Poirot.

As atenções se voltaram para meu amigo.

— Acho possível que o sobrenome da pretensa vítima comece com a letra B.

— Isso já seria alguma coisa — disse Carter, mas em tom dubitativo.

— Um complexo alfabético — observou o dr. Thompson, pensativo.

— Sugiro tal coisa como uma possibilidade, nada mais. Essa hipótese me ocorreu quando vi o nome Ascher escrito nitidamente no portal da loja da infeliz senhora assassinada no mês passado. Ao verificar que essa segunda carta mencionava Bexhill, ocorreu-me a possibilidade de que tanto a vítima como o local do crime possam ser escolhidos de acordo com a ordem alfabética.

— Isso é possível — disse o médico. — Por outro lado, pode ser que o sobrenome Ascher fosse uma coincidência, e que a vítima dessa vez, não importa que nome tenha, venha a ser, de novo, uma velha senhora dona de uma loja. Não se esqueçam de que estamos lidando com um demente. Até agora, ele não nos forneceu nenhum indício quanto à sua motivação.

— E um louco precisa de algum motivo, doutor? — replicou Carter, com ar cético.

— Naturalmente que tem um motivo. Uma extrema lógica é uma das características especiais dos maníacos. Um homem pode se considerar investido da missão a seu ver divina, de eliminar sacerdotes, ou médicos, ou ainda mulheres idosas em charutarias... e há sempre alguma razão coerente por trás desses atos. Não devemos deixar que essa história da ordem alfabética nos empolgue demasiado. O fato de Bexhill suceder a Andover *pode* ser uma mera coincidência.

— Podemos pelo menos tomar certas precauções, Carter, e checar especialmente todos os sobrenomes iniciados com um B, associados a modestos donos de lojas e vigiar com atenção todas as pequenas charutarias e onde vendam também jornais e que sejam geridas por uma pessoa solitária. Fique de olho, naturalmente, nos estrangeiros, tanto quanto possível.

O superintendente suspirou, meio desalentado.

— Com as escolas já desertas e as férias começando? Há um mundo de gente vindo para cá esta semana.

— Temos de fazer o que for possível — retrucou o delegado, secamente.

O inspetor Glen interveio:

— Mantenho uma vigilância estreita sobre qualquer pessoa ligada ao caso Ascher. Aquelas duas testemunhas, Partridge e Riddell, e o Ascher, naturalmente. Se pretenderem sair de Andover serão seguidos.

A reunião foi encerrada após mais algumas sugestões e uma troca de opiniões desencontradas.

— Poirot, é certo que esse novo crime poderá ser evitado? — perguntei quando caminhávamos ao longo do rio.

Havia muita preocupação em seu olhar quando me fitou e disse:

— A sanidade de uma cidade cheia de homens contra a insanidade de um determinado homem? Não, Hastings, eu receio que não. Lembre-se da longa série de atos criminosos de Jack, o Estripador.

— Isso é horrível.

— A loucura, Hastings, é uma coisa terrível... *Estou receoso... Muito receoso realmente...*

9

O ASSASSINATO DE BEXHILL-ON-SEA

AINDA ME LEMBRO DE MEU DESPERTAR na manhã de 25 de julho. Deviam ser umas 7h30.

Poirot estava parado de pé junto à minha cama, tocando-me o ombro de leve. Algo em seu olhar me fez acordar de vez. E indaguei, sentando-me no leito rapidamente:

— Que houve?

A resposta foi muito simples, mas um mundo de emoção estava contido nas duas palavras que ele pronunciou:

— *Aquilo aconteceu.*

— O quê?! — exclamei. — Você quer dizer... mas 25 é *hoje*.

— O fato ocorreu na noite passada, ou melhor, nas primeiras horas dessa manhã.

Saltei da cama e, enquanto lavava o rosto, ele me fez um resumo do que acabara de saber através de um telefonema.

— O corpo de uma jovem foi encontrado na praia de Bexhill. Foi identificado como sendo Elizabeth Barnard, uma garçonete de um bar que morava com os pais num bangalô construído recentemente. A hora da morte segundo o médico-legista foi fixada entre 11h30 e uma da madrugada.

— Eles têm plena certeza de que se trata *do* crime? — perguntei, ensaboando meu rosto rapidamente.

— *Um ABC aberto na página dos trens para Bexhill foi encontrado debaixo do cadáver.*

Estremeci, exclamando:

— Que coisa horrível!

— *Faites attention*, Hastings. Não desejo presenciar uma segunda tragédia no meu apartamento!

Enxuguei às pressas a gota de sangue de meu queixo recém-escanhoado sem muito cuidado.

— Qual é nosso plano de combate?

— O carro nos levará dentro de poucos minutos. Pedirei que lhe tragam o café aqui para não perdermos tempo.

Vinte minutos depois, já estávamos num carro ligeiro da polícia atravessando o Tâmisa rumo a Bexhill.

Conosco estava o inspetor Crome, que participara da reunião do outro dia, e que fora incumbido oficialmente daquele caso.

Crome era um tipo de policial muito diferente de Japp. Bem mais moço, era discreto, de nível superior. Bem-educado e instruído, ele era, para meu gosto, muito autossuficiente. Tinha-se notabilizado por uma série de crimes cometidos contra crianças que solucionara, tendo seguido, com obstinação, a pista do criminoso agora preso em Broadmoor.

Era obviamente uma pessoa indicada para se encarregar do presente caso, mas achei que ele se mostrava um pouco cioso demais desse fato. Sua maneira de tratar Poirot era meio protetoral, indulgente. Dirigia-se a ele como o faria um jovem a um homem mais velho, à maneira de um aluno cheio de si em relação ao seu professor de escola pública.

— Tive uma longa e elucidativa conversa com o dr. Thompson — disse o jovem inspetor. — Ele está muito interessado no tipo de crime em "cadeia" ou em "série". Trata-se do produto de um tipo de mentalidade distorcida. Sendo um agente da lei, não posso, naturalmente, apreciar devidamente detalhes mais sutis como os focalizados de acordo com o ponto de vista médico. — Pigarreou antes de prosseguir: — Um exemplo comum foi meu último caso. Não sei se você leu algo sobre o mesmo... o caso de Mabel Homer, a estudante de Muswell Hill... O tal Capper se mostrou muito hábil. Foi muito difícil acusá-lo do crime, e já era o terceiro cometido por ele! Parecia tão saudável mentalmente como eu ou você. Mas existem testes os mais variados, truques verbais, sabe, bem modernos... Em seu tempo não havia nada desse tipo, Poirot. Uma vez induzido a se delatar, você apanha o sujeito irremediavelmente. Ele percebe que estamos de posse de seu segredo e se descontrola. Acaba por confessar pressionado pelos dois lados.

— Mesmo no meu tempo isso acontecia algumas vezes — disse Poirot.

Crome fitou meu amigo e murmurou em tom coloquial:
— Mesmo?

Fez-se silêncio entre nós por alguns minutos. Assim que passamos pela New Cross Station, Crome disse:

— Se tem alguma pergunta a me fazer sobre o caso, lhe peço que a faça.

— Você ainda não tem, presumo, a descrição da jovem morta?

— Ela tinha 23 anos, trabalhava como garçonete no café *Ginger Cat*...

— *Pas ça*. Eu gostaria de saber, por exemplo, se era bonita?

— Não tenho nenhuma informação sobre isso — retrucou Crome, com ar evasivo. Parecia querer dizer: "Esses estrangeiros, sempre os mesmos!"

Uma leve expressão divertida surgiu no olhar de Poirot.

— Isso não lhe parece importante, certo? No entanto, *pour uns femme*, é de importância capital. Muitas vezes decide seu destino!

Fez-se novo silêncio.

Foi somente quando já estávamos perto de Sevenoaks que Poirot retomou a conversa.

— Está inteirado, por acaso, de como e com que a garota foi estrangulada?

Crome respondeu de modo sumário.

— Foi estrangulada com seu próprio cinto, um troço de malha entrelaçada, grosso. Eu o recolhi.

Os olhos de Poirot pareceram maiores quando ele comentou:

— Ah, finalmente temos um exemplo concreto de informação. Isso nos diz alguma coisa, não?

— Pelo menos que eu percebesse, não — retrucou Crome, friamente.

Já me sentia irritado com a falta de tato e de imaginação daquele homem. E observei:

— Pois tal objeto nos dá uma espécie de marca registrada do assassino. O próprio cinto da vítima. Isso mostra a bestialidade que caracteriza a sua mente!

Poirot me lançou um olhar que não consegui entender. Li em sua face uma impaciência contida. Pensei que aquele seu olhar fora um alerta para que não me expressasse francamente na presença do inspetor.

E mergulhei em silêncio.

Em Bexhill, fomos recebidos pelo superintendente Carter. A seu lado estava Kelsey, um jovem inspetor simpático e de olhar inteligente. Fora destacado para trabalhar com Crome na elucidação daquele caso.

— Poderá conduzir os interrogatórios e buscas como desejava, Crome — disse Carter. — Assim, depois que eu lhe der as indicações principais sobre esse caso poderá entrar em ação de imediato.

— Obrigado, senhor — disse Crome.

— Já comunicamos o que aconteceu aos pais da jovem. Um choque terrível para eles, naturalmente — observou Carter. — Deixei-os em casa para que se recuperassem um pouco antes de interrogá-los, assim você pode começar por eles.

— Há outros parentes da moça? — indagou Poirot.

— Uma irmã que trabalha como datilógrafa em Londres. Ela já foi informada do que houve. E temos também um rapaz... pelo que apurei, a mocinha esteve com ele na noite passada.

— E o guia ABC, serviu para algo? — perguntou Crome.

— Está ali — e Carter indicou a mesa com um gesto de cabeça. — Nenhuma impressão digital. Está aberto na página referente a Bexhill. Me parece ser um exemplar novo, pelo menos não deve ter sido muito manuseado. Não foi comprado em nenhuma loja das redondezas. Andei por todas as papelarias e bancas de jornais e nada!

— Quem encontrou o corpo?

— Um desses velhos coronéis que gostam de madrugar e apanhar ar fresco. No caso, o coronel Jerome. Ele saiu com seu cão por volta das seis da manhã. Seguiu ao longo da praia na direção de Cooden, e então alcançou a areia. O cachorro se afastou um pouco, farejando algo. O coronel o chamou, mas ele não apareceu. Então, o coronel foi em direção ao local farejado pelo cachorro e notou que havia algo estranho ali. Aproximou-se, olhando com mais atenção o vulto caído. Note-se que agiu com muito acerto. Não tocou no cadáver e nos telefonou imediatamente.

— E a hora da morte foi por volta de meia-noite, certo?

— Entre meia-noite e uma hora da manhã; isso é praticamente certo. Nosso homicida galhofeiro é um homem de palavra. Disse dia *25*, e o crime ocorreu mesmo dia 25, ainda que com uma diferença de poucos minutos.

Crome assentiu.

— Sim, que essa é a sua maneira de ser não há dúvida. Não há mais nada? Ninguém viu algo que nos possa ser útil?

— Que nós saibamos até agora, não. Mas ainda é cedo. Todos que viram uma jovem de branco passeando com um homem na noite passada logo aparecerão aqui para nos contar, e já imagino pelo menos umas quatro ou cinco garotas que na noite de ontem andaram passeando com rapazes... Vai ser uma bela história...

— Bem, senhor, acho melhor me movimentar — disse Crome. — Temos o *Ginger Cat* e a casa da moça; será melhor visitá-los, Kelsey pode vir comigo.

— E o sr. Poirot? — indagou Carter.

— Eu vou acompanhá-lo — disse Poirot a Crome, com um leve cumprimento.

Acho que Crome olhou para meu amigo um pouco aborrecido. Kelsey, que ainda não conhecia Poirot, abriu um largo sorriso.

Por uma infeliz circunstância, todas as pessoas que viam meu amigo pela primeira vez tendiam sempre a considerá-lo um marinheiro de primeira viagem.

— E quanto ao cinto com o qual a moça foi estrangulada? — indagou Crome, de repente. — O sr. Poirot acha que se trata de uma pista valiosa. Creio que ele gostaria de vê-lo.

— *Du tout* — disse Poirot, serenamente. — Você não me compreendeu bem.

— Nada conseguirá por esse caminho — disse Carter. — Não se trata de um cinto de couro, que poderia conservar impressões digitais se fosse usado no caso. É uma espécie de seda espessa trançada, ideal para tal fim.

Senti um certo estremecimento.

— Bem — disse Crome —, seria melhor irmos logo.

E nós saímos sem mais perda de tempo.

Visitamos primeiro o *Ginger Cat*. Ficava bem defronte à praia e tinha o aspecto comum às pequenas casas de chá ou lanchonetes. No interior, mesinhas cobertas com um pano alaranjado xadrez e cadeiras de vime desconfortáveis com almofadinhas alaranjadas. Era o tipo de estabelecimento cuja especialidade consistia no café matinal, cinco tipos diferentes de chá (Devonshire, Farmhouse, Fruit, Carlton e Plain), e uns poucos pratos feitos para empregadinhas, tais como ovos mexidos com camarões e macarrão com queijo ralado.

O café da manhã estava sendo servido quando ali entramos. A gerente, apressado, conduziu-nos a um reservado mais ao fundo, mal-asseado.

— É a srta... Merrion? — perguntou Crome.

A srta. Merrion respondeu com uma entonação chorosa e aflita.

— Sim, sou eu. Essa história toda foi lamentável. Muito desagradável. Nem quero *pensar* em como nosso negócio aqui será prejudicado!

Ela tinha quarenta anos, era muito delgada e com um cabelo feito palha meio alaranjado (na verdade, ela se parecia espantosamente com o próprio gato que dava nome à sua lanchonete). Ao falar, mexia nervosamente nos vários fichus e babados que faziam parte de seu uniforme de trabalho.

— Você vai é ficar de caixa alta — disse o inspetor Kelsey, animando-a. — Vai ver só! Nem vai poder servir chá e sanduíches com a rapidez de costume com o novo surto de fregueses!

— Foi muito triste — disse a srta. Merrion. — Realmente triste. Faz a gente descrer na natureza humana.

Mas seus olhos brilhavam apesar de tudo, após ouvir o que Kelsey dissera.

— Que pode me dizer sobre a moça que morreu, srta. Merrion?

— Nada — respondeu ela, taxativa. — Absolutamente nada.

— Há quanto tempo ela trabalhava aqui?

— Já completara um ano de casa.

— Estava satisfeita com ela?

— Era uma boa garçonete, ativa e discreta.

— Ela era bonita, não? — perguntou Poirot.

A srta. Merrion, por sua vez, lançou-lhe um olhar na base de: "Oh, esses estrangeiros..."

— Era uma moça de boa aparência, bonitinha — respondeu com ar distante.

— A que horas ela largou o trabalho ontem à noite? — indagou Crome.

— Às oito. Sempre fechamos a essa hora. Não servimos jantar. A procura é muito reduzida. Um ou outro freguês aparece aqui pedindo ovos mexidos e chá (Poirot fez uma careta) por volta das sete horas ou algumas vezes depois, mas nosso movimento maior acontece lá pelas 6h30.

— Ela lhe disse algo sobre como pensava passar a noite de ontem?

— Claro que não — enfatizou a mulher. — Nós não tínhamos intimidades.

— Ninguém apareceu aqui a procurando?

— Não.

— Ela lhe pareceu diferente dos outros dias? Talvez nervosa ou deprimida?

— Na verdade, não sei dizer — retrucou a srta. Merrion, com ar indiferente.

— Quantas moças trabalham aqui?

— Normalmente duas, e duas mais de 20 de julho até o fim de agosto.

— Mas Elizabeth Barnard não era uma dessas extras?

— A srta. Barnard era efetiva aqui.

— Que me diz da colega... efetiva?

— A srta. Higley? Ela é uma jovem muito correta.

— Ela e a srta. Barnard eram amigas?

— Não sei dizer, acredite.

—Talvez possamos ter uma palavrinha com ela.

— Agora?

— Se permitir...

— Eu vou chamá-la — disse a srta. Merrion, levantando-se. — Por favor, não a retenha demasiado. Esta é a hora do café matinal e o movimento se torna mais intenso aqui.

A felina e loura srta. Merrion se afastou.

— Muito refinada — comentou o inspetor Kelsey. E imitou a entonação meio afetada da mulher. "*Na verdade, não sei dizer.*"

Uma garota rechonchuda, de cabelo preto, faces rosadas e olhos negros, agora muito abertos devido à excitação do momento, parou de repente, quase sem fôlego, diante dos policiais.

— A srta. Merrion me disse para vir...

— É a srta. Higley?

— Sim, sou eu.

—Você conhecia Elizabeth Barnard?

— Oh, sim, eu conhecia Betty. Não foi uma coisa *horrível*? Muito horrível, mesmo. Nem posso acreditar que aconteceu de verdade. Estive dizendo a manhã toda às garotas que não *consigo* acreditar nisso! "Vocês sabem", falei, "o que houve não parece *real*. Betty! Quero dizer, Betty Barnard, que esteve sempre aqui, *assassinada*! Não, eu não acredito", disse a todo mundo. Cinco ou seis vezes já belisquei meu próprio braço só pra ver se estava acordada mesmo, Betty assassinada... Isso... bem, eu já lhes disse, não parece *real*.

—Você conhecia bem a sua colega de trabalho? — perguntou Crome.

— Bom, ela trabalhava aqui há mais tempo que eu. Só vim para cá em março desse ano. Betty já estava nessa lanchonete desde o ano passado. Ela era meio fechada, o senhor sabe. Não costumava rir muito ou fazer brincadeiras. Não quero dizer com isso que fosse *esquisitona*, séria demais, tinha muita alegria dentro dela, mas... Bem, ela era discreta e não era ao mesmo tempo, não sei se o senhor me entendeu.

Devo confessar que o inspetor Crome se mostrou extremamente paciente. Como testemunha, a gorducha srta. Higley era exasperante com suas redundâncias. Cada observação que fazia era repetida e destacada uma dúzia de vezes. E o resultado do interrogatório foi, assim, muito pobre.

Ela não fora íntima da moça assassinada. Era de se deduzir que Elizabeth Barnard se considerara um pouco acima da srta. Higley para lhe fazer confidências. Eram boas colegas de trabalho, mas fora daí pouco se avistavam ou conversavam. Elizabeth Barnard tivera um "amigo" que trabalhava numa agência imobiliária próxima da estação ferroviária, a Court & Brunskill. Não, o "amigo" não era nem o sr. Court nem o sr. Brunskill. Ele era um empregado ali. Se tinha boa aparência? Ah, sim... muito simpático, e sempre bem-vestido. Naturalmente, havia um toque de ciúme no íntimo da srta. Higley.

O balanço do interrogatório no final se resumiu ao seguinte: Elizabeth não revelara a ninguém do *Ginger Cat* seu programa para a noite passada, mas, na opinião da srta. Higley, fora se encontrar com seu "amigo". Elizabeth usava um vestido novo, branco, "encantador como nunca, com um desses novos decotes".

Trocamos duas palavrinhas com as empregadas extras da srta. Merrion, mas sem nenhum resultado positivo. Betty Barnard nada lhes dissera sobre seu programa noturno e ninguém a vira em Bexhill no decorrer da noite.

10

Os Barnard

OS PAIS DE ELIZABETH BARNARD moravam num pequeno bangalô, um dos cinquenta, se tanto, construídos recentemente por um empreiteiro esperto no subúrbio mais distante do centro da cidade. O nome do novo bairro era Llandudno. O sr. Barnard, um homem corpulento e de ar embaraçado, com uns 55 anos presumíveis, percebeu a nossa aproximação e ficou parado, à nossa espera, na porta de sua casa.

— Podem entrar, senhores — disse.

O inspetor Kelsey se adiantou, dizendo:

— Este é o inspetor Crome da Scotland Yard, sr. Barnard. Veio nos ajudar nesse caso.

— Scotland Yard? — observou Barnard, mais animado. — Isso é bom. Esse assassino miserável não pode ficar sem castigo. Minha pobre menina... — E seu rosto acusou a dor que sentia.

— E este é o sr. Poirot, também vindo de Londres, e o...

— Capitão Hastings — disse Poirot.

— Prazer em conhecê-los, senhores — disse Barnard, meio alheado. — Venham para a sala de visitas. Não sei se minha senhora poderá falar com os senhores. Ela está arrasada.

No entanto, quando já estávamos acomodados na sala de visitas do pequeno bangalô, a sra. Barnard apareceu. Era evidente que estivera chorando, tinha os olhos avermelhados e seus passos vagarosos e incertos eram os de uma pessoa que sofrera um grande golpe.

— Por que desceu, Hilda? Está tudo em ordem — disse o sr. Barnard. — Tem certeza que está bem? — Deu-lhe uma palmadinha no ombro e puxou uma cadeira para ela.

— O superintendente foi muito gentil — disse o dono da casa. — Depois de nos informar do acontecido, disse que deixaria algumas perguntas para serem feitas mais tarde, quando já tivesse passado o choque inicial que sofremos.

— O que aconteceu foi muito cruel. Oh, meu Deus, foi duro demais — exclamou a sra. Barnard, chorosa. — A coisa mais terrível que poderia acontecer.

Sua voz tinha uma leve cadência monótona e julguei de início que fosse estrangeira, mas então me lembrei do nome dado ao conjunto residencial e percebi que aquela entonação cantante de sua fala provava na realidade sua procedência galesa.

— Foi muito doloroso, senhora, eu entendo — disse o inspetor Crome. — E compreendemos seu sofrimento, mas desejamos saber certas coisas que nos permitiriam agir com maior presteza nesse caso.

— É muito lógico — disse o sr. Barnard, movendo a cabeça em assentimento.

— Sua filha estava com 23 anos, certo? Ela morava aqui com vocês e trabalhava na lanchonete *Ginger Cat*, correto?

— Sim.

— Essa casa foi construída recentemente, pelo que sei. Onde moravam anteriormente?

— Eu trabalhava no ramo de ferragens, em Kennington. Aposentei-me há dois anos. Sempre quis morar perto do mar.

— Têm duas filhas?

— Sim. Minha mais velha trabalha num escritório em Londres.

— Não ficaram preocupados quando sua filha não voltou para casa ontem à noite?

— Nós não sabíamos que ela ainda não voltara — disse a sra. Barnard, em voz chorosa. — Meu marido e eu sempre nos recolhemos cedo. Nove horas, toda noite. Só viemos a saber que

Betty não dormira em casa quando o oficial de polícia veio nos procurar e disse...

Ela voltou a chorar sem poder se conter.

— Sua filha tinha o hábito de... voltar tarde para casa?

— Sabe como são as garotas de hoje, inspetor — disse Barnard.

— Elas se julgam independentes. Nessa temporada de verão, não se apressam em voltar para casa. Assim, Betty só costumava chegar aqui por volta de onze horas.

— Como ela procedia? Digo, a porta ficava aberta?

— A chave ficava sob o capacho, sempre fizemos assim.

— Havia algo a respeito de um possível noivado de sua filha?

— Esses jovens de hoje em dia não são muito de oficializar seus compromissos — disse o sr. Barnard.

— O nome dele é Donald Fraser, e eu o apreciava. Gostava muito dele — disse a sra. Barnard. — Pobre moço, saber do que... aconteceu deve ter sido doloroso para ele: Donald já deve ter sabido, suponho.

— Ele trabalha para Court & Brunskill, certo?

— Sim, eles são agentes imobiliários.

— E ele costumava se encontrar com sua filha com frequência à noite após o trabalho?

— Todas as noites, não. Diria que uma ou duas vezes por semana.

— Sabe se ela ia se encontrar com ele ontem?

— Ela não me disse nada. Betty nunca falava muito sobre o que fazia ou aonde pretendia ir. Mas era uma boa menina, a nossa Betty. Oh, não posso acreditar...

E a sra. Barnard soluçou de novo.

— Tente se acalmar, querida. Vamos, que é isso — murmurou o marido. — Temos que superar isso, ajudar a esclarecer o que aconteceu.

— Estou certa de que Donald nunca deveria... nunca... — e a sra. Barnard não pôde prosseguir devido aos soluços.

— Agora, tente se refazer — repetiu o sr. Barnard para a esposa. — Por Deus que gostaria muito de ajudá-los, mas a verdade é que não estou a par de nada que serviria para a captura do patife covarde que fez isso. Betty era alegre, feliz da vida... com um namorado jovem e honesto... Estava bem-encaminhada, diria assim nos meus tempos de juventude. Que alguém pudesse vir a matá-la e por quê, eis o que não posso entender. Não tem sentido algum.

— O que diz tem a sua procedência, sr. Barnard — observou Crome. — Bem, eu poderia olhar o quarto da srta. Barnard? Pode ser que encontremos algo, cartas... ou um diário.

— Pode olhar à vontade — disse Barnard, levantando-se.

Crome acompanhou o dono da casa. Depois, Poirot e Kelsey o imitaram.

Eu parei um instante para apertar o cordão de meus sapatos que estava frouxo. Foi aí que um táxi parou à entrada da casa e uma moça saltou. Ela pagou a corrida ao motorista e se apressou a entrar no bangalô, carregando uma maleta. Mal entrou na sala me viu e parou de chofre.

Havia algo de tão extático em sua postura que me deixou curioso.

— Quem é você? — perguntou ela.

Dei uns poucos passos na sua direção. Sentia-me meio embaraçado sem saber como responder devidamente. Deveria lhe dizer meu nome? Ou mencionar o fato de ter vindo ali com a polícia? A jovem, contudo, não me deu tempo para uma escolha.

— Ah, sim, posso imaginar quem seja.

Ela tirou o pequeno gorro branco de lã que usava e, com ar distraído, largou-o num canto da sala. Podia apreciá-la melhor agora quando ela se virou um pouco e a claridade incidiu sobre seu rosto.

Minha impressão inicial foi a de estar vendo aquelas bonecas holandesas com as quais minhas irmãs costumavam brincar em minha meninice. Seu cabelo era negro, cortado curtinho e com uma franja caindo sobre a testa. Tinha as maçãs do rosto bem-pronunciadas e, no conjunto, sua figura tinha uma sofisticada e moderna angulosidade que não era, contudo, ausente de atrativos. Ela não era bonita, na verdade, mas havia uma certa intensidade de expressão, uma energia interior que a tornava uma pessoa difícil de se esquecer.

— É a srta. Barnard? — perguntei afinal.

— Sou Megan Barnard. Suponho que pertença ao departamento policial.

— Bem... — retruquei. — Não exatamente...

Ela me interrompeu, incisiva:

— Acho que não poderei lhe adiantar nada. Minha irmã era uma jovem inteligente, alegre e sem casos amorosos. Bom dia.

Sorriu de leve enquanto me falava e olhou para mim desafiante.

— Essa é uma resposta correta, não? — disse ela então.

— Só que não sou um repórter, se é isso que pensou.

— Afinal, quem é você?

Relanceou o olhar pelo aposento.

— Onde estão mamãe e papai?

— Seu pai foi mostrar o quarto da srta. Betty à polícia. Sua mãe está aí dentro. Ela está muito abalada.

A moça pareceu tomar uma decisão.

— Venha comigo.

Ela empurrou uma porta entreaberta e eu a acompanhei. Encontrei-me então numa cozinha pequena e muito limpa.

Eu fui fechar a porta, mas encontrei uma inesperada resistência. E logo a seguir Poirot entrava sem ruído na cozinha e fechava a porta atrás de si.

— Mademoiselle Barnard? — disse Poirot após um breve cumprimento.

— É o sr. Hercule Poirot — disse eu à jovem.

Megan Barnard lhe dirigiu um rápido e avaliador olhar.

— Já ouvi falar de você. É o detetive particular da moda, não?

— Não é uma descrição apropriada... mas serve — retrucou Poirot.

A jovem se sentou na borda da mesa de cozinha. Remexeu em sua bolsa e apanhou um cigarro. Colocou-o entre os lábios finos, acendeu-o, e então disse entre dois flocos de fumaça:

— Seja como for, não percebo o que o sr. Hercule Poirot está fazendo aqui nesse nosso humilde crime local.

— Mademoiselle — disse Poirot. — O que não percebe e o que eu não vejo talvez desse para encher um livro inteiro. Mas tudo isso não tem nenhum alcance prático. De importância prática *é* algo que não será fácil de descobrir.

— De que se trata então?

— A morte, Mademoiselle, infelizmente origina uma *predisposição*. Uma predisposição favorável à pessoa morta. Escutei o que você disse ainda há pouco ao meu amigo Hastings. "Uma moça inteligente e alegre sem casos amorosos." Você o disse ironizando os jornais. E é bem verdade que, quando uma jovem é morta, esse tipo de coisa se faz ouvir com frequência na imprensa. Ela era muito inteligente. Era feliz. Tinha um bom gênio. Não tinha problemas sérios. E nem amizades pouco recomendáveis. Há sempre uma grande benevolência em relação a quem morre. Sabe o que eu gostaria de fazer nesse momento? Conversar com alguém que conhecesse Elizabeth Barnard *e que não soubesse ainda que ela morreu*! Aí então, talvez eu viesse a escutar aquilo que mais me interessa saber: a verdade.

Megan Barnard olhou para meu amigo em silêncio por alguns instantes enquanto fumava. Então, por fim, decidiu falar. E suas palavras me causaram um impacto.

— Betty era uma idiota consumada!

11

MEGAN BARNARD

COMO DISSE, AS PALAVRAS DE Megan Barnard, e mais ainda a entonação veemente e tensa com que foram pronunciadas, me impressionaram fortemente.

Poirot, contudo, limitou-se a mover a cabeça circunspecto.

— *A la bonne heure* — disse ele. — É inteligente, Mademoiselle.

— Eu gostava muito de Betty. Mas essa afeição não me impedia de perceber a espécie de pequena tola que ela era... e cheguei mesmo a lhe dizer isso em várias ocasiões! Afinal irmãs são para isso. — disse ela, ainda no mesmo tom desinibido.

— E ela deu atenção a seus conselhos?

— Certamente que não — retrucou Megan, com ironia.

— Poderia ser mais explícita, Mademoiselle.

A jovem hesitou e Poirot lhe disse com um leve sorriso:

— Vou ajudá-la. Escutei o que você disse a Hastings. Que sua irmã era inteligente, alegre e sem casos amorosos... Isto é... *un peu* contrário à realidade dos fatos, não?

Megan disse com precipitação:

— Não havia nada de ruim com a Betty, entende? Sabia até onde devia ir. Não era do tipo de garota para fins de semana, compreende? Nada disso. Mas gostava de que a convidassem para sair e dançar fora, e... bem, apreciava certos elogios meio vulgares e toda sorte de galanteios.

— E ela era bonita? Sim ou não?

Essa pergunta, que eu ouvia pela terceira vez naquele mesmo dia, obteve então uma resposta bem ilustrativa, concreta.

Megan deslizou com agilidade da ponta da mesa, abriu sua maleta de viagem e retirou da mesma algo que entregou a Poirot.

Numa pequena moldura de couro escuro, via-se a foto de uma jovem sorridente, de expressão muito desenvolta. Seu cabelo fora ondulado recentemente — dava para notar — e contornava sua cabeça numa massa de cachos frisados. O sorriso era brejeiro, mas meio forçado. Não era certamente um rosto que se poderia classificar de formoso, mas possuía, obviamente, certa beleza, embora comum.

Poirot devolveu a foto, dizendo:

— Não se parecem em nada, Mademoiselle.

— Oh, não. Eu sou a feia da família. Sempre soube disso.

Megan parecia dar pouca importância ao fato.

— Em que sentido exatamente pensa que sua irmã se comportava como uma tola? Quer dizer, talvez em relação a Donald Fraser?

— É isso aí. Don é o tipo da pessoa ponderada, mas... bem, naturalmente, ficava sentido com certas coisas e então...

— E então o quê, Mademoiselle?

Poirot olhava a moça fixamente.

Talvez fosse imaginação minha, mas achei que ela teve uma breve hesitação antes de responder.

— Receei que ele viesse a... lhe dar o fora. E teria sido uma pena. Don é um rapaz equilibrado e trabalhador, e daria um bom marido para ela.

Poirot continuava a analisá-la com o olhar. Ela não fugiu a esse olhar penetrante e o sustentou com aquela mesma expressão que me recordou seu primeiro gesto desafiante, a maneira quase desdenhosa com que me brindara na sala.

— Então foi só isso — disse Poirot, finalmente. — Nós não falamos a verdade de maneira nenhuma.

Ela balançou os ombros e voltou-se para a porta, dizendo:

— Bem, eu fiz o que podia para ajudá-lo.

Ela ia se afastar, mas a voz firme de Poirot a reteve.

— Espere, Mademoiselle. Tenho algo a lhe dizer. Volte aqui.

Embora de má vontade, penso eu, ela obedeceu.

Mas para minha surpresa, Poirot se pôs a falar sobre a história das cartas do ABC, o crime de Andover, e o guia de trens encontrado junto ao corpo das duas vítimas.

Megan não lhe deu razão para queixas de falta de interesse no relato. Os lábios da jovem ficaram entreabertos, seus olhos brilharam mais vivamente, muito interessada no que ele dizia.

— Tudo isso é verdade, sr. Poirot?

— Sim, é verdade.

— Quer dizer então que minha irmã foi morta por um desses horríveis maníacos homicidas?

— Precisamente.

Ela respirou fundo antes de exclamar:

— Oh! Betty... Betty... como isso é *horrível*!

— Já vê, Mademoiselle, o alcance da informação que lhe pedi para dar espontaneamente, sem se preocupar se iria ou não magoar alguém.

— Sim, agora percebo isso.

— Agora podemos continuar nossa conversa. Eu tinha feito ideia desse Donald Fraser como sendo, talvez, dotado de um temperamento rude e ciumento, isso confere?

Megan disse tranquilamente:

— Agora sinto confiança na sua pessoa, sr. Poirot. E vou lhe dizer a pura verdade. Como já disse antes, Don é muito ponderado, uma pessoa que sabe se conter, o senhor sabe a que me refiro. Ele nem sempre consegue expressar o que sente com palavras. Mas, no íntimo, compreende e sente certas coisas intensamente. E tem uma índole ciumenta. Sempre teve ciúmes de Betty. Era muito dedicado a ela... e, naturalmente, minha irmã gostava dele, mas não era próprio de Betty gostar de uma pessoa e se alhear dos demais. Não tinha esse jeito apaixonado. Ela... bem, arriscava sempre um olhar para algum rapaz bonitão que passasse algum tempo em sua companhia. E, naturalmente, trabalhando no *Ginger Cat*, ela estava sempre se encontrando casualmente com homens, especialmente nas férias de verão. Estava com a língua sempre afiada e, assim, se eles a aborreciam, lhes dava o troco na hora. E então, talvez saísse com algum rapaz, para irem a um cinema ou algo assim. Nada de sério, compreenda, apenas gostava de se divertir. Costumava dizer que, se um dia acabaria se casando com Don, devia, agora, aproveitar seu tempo se divertindo enquanto podia.

Megan fez uma pausa e Poirot disse:

— Entendo. Prossiga.

— E era justamente essa disposição de espírito de Betty que Don não podia entender. Se estava realmente enamorada dele, não compreendia por que ela desejava sair com outros rapazes. E uma vez ou duas eles tiveram uma briga séria por causa disso.

— Mas Don não é um homem calmo, ponderado?

— Acontece com ele o mesmo que com todas as pessoas tranquilas, sossegadas. Quando perdem a paciência, pensam até em vingança. Don se mostrou tão violento que Betty ficou assustada.

— Quando foi isso?

— Bem, essa briga aconteceu há cerca de um ano e a outra, pior ainda, foi há um mês atrás, mais ou menos. Eu vinha para cá em um fim de semana, e tentei ajeitar as coisas de novo entre eles. Foi quando procurei despertar o bom senso de Betty... e lhe disse que agia como uma garota tola. Tudo que me respondeu então foi que não havia nada de mal naquilo. Bem, isso não deixava de ser verdade, mas de qualquer modo ela estava cavando sua infelicidade. O senhor sabe, ela adquirira o hábito, após a briga de um ano atrás, de inventar algumas mentirinhas convenientes se apoiando no ditado "O que os olhos não veem, o coração não sente". A última desavença aconteceu porque ela dissera a Don que iria a Hastings ver uma amiguinha. Mas ele veio a saber que ela realmente estivera em Eastbourne com um certo homem. Este era casado, como se soube depois, e mantivera segredo disso, o que tornou as coisas ainda piores. Don e minha irmã fizeram uma cena terrível, com Betty dizendo ainda não estar casada com ele e que, portanto, tinha o direito de sair com quem lhe agradasse e Don, muito pálido, trêmulo de raiva, afirmando que qualquer dia...

— Sim?

— Ele disse que cometeria um crime... — acabou concluindo Megan, em tom mais baixo.

Ela ficou parada fitando Poirot, que moveu a cabeça com ar sério.

— E assim, naturalmente, você ficou receosa...

— Nem por um instante pensei que ele chegasse a cumprir sua ameaça! Estava com receio era de que aquilo tudo, a briga e as palavras ditas por Don, viessem a ser do conhecimento de outras pessoas.

Novamente Poirot moveu a cabeça com ar grave.

— Certo. E posso dizer, Mademoiselle, que não fosse pela vaidade egoística de um assassino, seria isso que teria acontecido. Se Donald Fraser não se tornou suspeito, ele o deve à jactância doentia do sr. ABC.

Fez-se curto silêncio e então ele disse:

— Sabe se sua irmã se encontrou realmente com esse homem casado, ou algum outro rapaz, ultimamente?

— Não sei. Eu trabalho em Londres, o senhor sabe.

— Mas qual a sua opinião?

— Ela não deve ter tido um novo encontro com aquele homem. Ele, com certeza, pulou fora ao perceber que havia possibilidade de um escândalo, mas não me surpreenderia se Betty tivesse... bem, contado de novo a Don algumas mentiras. Você sabe, ela gostava de dançar e ir ao cinema, e, naturalmente, Don não podia estar saindo com minha irmã com frequência.

— Assim, pode ser que ela tenha feito confidências a alguém, não? À coleguinha da lanchonete, por exemplo.

— Penso que não. Betty não suportava a tal Higley. Ela a achava muito vulgar. E as outras deviam ser novas ali. Betty não iria lhes contar nada.

A campainha da porta soou de modo estridente.

Megan chegou à janela e se debruçou no peitoril. Voltou a cabeça então, rapidamente.

— É o Don...

— Traga-o para cá — disse Poirot, com presteza. — Gostaria de conversar um pouco com ele antes que nosso bom inspetor o monopolize.

Megan saiu como um foguete da cozinha, e dois segundos depois já estava de volta trazendo Donald Fraser pela mão.

12

DONALD FRASER

ASSIM QUE VI AQUELE MOÇO ENTRAR, senti pena dele. Seu rosto pálido e a expressão conturbada mostravam como fora profundo o golpe que sofrera.

Era um rapaz de boa constituição, ar inteligente e educado, com 1,80m talvez, não podendo ser chamado de bonito, mas com um rosto agradável, meio sardento, maçãs do rosto salientes e uma brilhante cabeleira ruiva.

— O que é isso, Megan? — perguntou ele. — Por que estamos aqui? Por Deus, conte-me tudo que houve... Só há pouco eu soube que... Betty...

Sua voz se perdeu. Poirot puxou uma cadeira para frente e o convidou a se sentar.

Então meu amigo tirou do bolso um pequeno frasco, pingou algumas gotas de seu conteúdo num copo convenientemente disposto sobre o aparador da cozinha e disse:

— Beba isto, sr. Fraser. Vai lhe fazer bem.

O rapaz obedeceu. O *brandy* diminuiu a sua palidez, reconfortando-o um pouco. Aprumou-se na cadeira e voltou-se uma vez mais para a jovem. Suas maneiras agora eram sóbrias e ele demonstrava autocontrole.

— Então é verdade? — ele disse. — Betty morreu... assassinada?

— Sim, é verdade, Don.

Ele disse como se raciocinasse mecanicamente:

— Você acaba de chegar de Londres?

— Sim. Papai me telefonou.

— Por volta de 9 e 30, não foi? — observou Donald Fraser.

Sua mente, desafiada pela realidade chocante, buscava uma válvula de escape ao se referir a detalhes sem importância.

— Sim — respondeu Megan.

Fez-se curto silêncio e então Fraser perguntou:

— E a polícia? Eles estão fazendo alguma coisa?

— Estão lá em cima, agora. Olhando os objetos pessoais da Betty, acho eu.

— E não têm nenhuma ideia de quem...? Não sabem...

Notava-se logo que Donald tinha um temperamento sensível, experimentando certo pudor e dificuldade em transpor para as palavras a realidade de fatos violentos e chocantes.

Poirot se aproximou mais um pouco do rapaz para lhe fazer uma pergunta. Sua voz adquiriu um tom prosaico, informal, como se a indagação se referisse a um detalhe sem maior importância.

— A srta. Barnard lhe disse aonde pretendia ir na noite passada?

Ao responder, Fraser pareceu fazê-lo mecanicamente.

— Ela me contou que ia a St. Leonards com uma amiga.

— E você acreditou nela?

— Eu... — De repente o "autômato" ganhou vida própria.

— O que está querendo dizer com isso?

Seu rosto, transtornado por súbita cólera e sua expressão ameaçadora, fizeram-me compreender que a jovem Betty deveria ter ficado com medo de despertar sua raiva.

Poirot disse secamente:

— Betty Barnard foi morta por um assassino calculista. Somente dizendo a estrita verdade você poderá nos ajudar a obter uma pista.

O rapaz dirigiu um breve olhar a Megan como se a consultasse.

— Ele tem razão, Don — ela disse. — Não é hora de se preocupar com seus sentimentos pessoais ou os de mais alguém. Você deve ser objetivo.

Donald Fraser olhou para Poirot com desconfiança.

— Quem é o senhor? É da polícia?
— Sou algo melhor do que a polícia — respondeu Poirot. Mas disse tal coisa sem arrogância deliberada. Para ele, tratava-se da simples enunciação de um fato.
— Conte para ele — disse Megan.
Donald Fraser cedeu.
— Não tenho certeza — disse por fim. — Acreditei nela quando me falou. Nunca pensei que não fosse fazer o que me dissera. Mais tarde... talvez, pensei que havia algo diferente em seu modo de ser. Eu... bem, comecei a cismar.
— E então?... — perguntou Poirot.
Poirot estava sentado de frente para Fraser. Seu olhar fixo no rosto do outro parecia exercer um efeito hipnótico.
— Senti vergonha de mim mesmo por me mostrar tão desconfiado. Mas... o fato é que *estava* desconfiado... Pensei em ficar em frente à lanchonete e vigiá-la quando ela terminasse seu trabalho. Cheguei a ir até lá. Então compreendi que não podia fazer tal coisa. Betty talvez me visse ali e ficaria zangada. Veria de imediato que eu estava vigiando seus passos.
— E o que fez então?
— Fui a St. Leonards. Cheguei lá por volta das oito horas. Fiquei atento aos ônibus, para ver se ela estava em algum... Mas nem sinal dela...
— E aí?...
— E... perdi a cabeça. Me convenci de que ela estava com algum homem. Pensei que ele talvez a tivesse levado de carro a Hastings. Estive por lá, entrei em hotéis e restaurantes, rondei os cinemas... estive também no cais. Tudo sem sucesso e às cegas. Mesmo que ela estivesse onde eu imaginava seria problemático encontrá-la, e, além do mais, havia um bom número de outros lugares aonde o tal homem poderia tê-la levado sem ser Hastings.
Fez uma pausa. Embora tivesse se mostrado preciso até ali, apreendi uma nuança daquela mescla de desorientação, suspeita e angústia que dele se apossara naquela ocasião, em Hastings.

— Por fim, eu desisti da busca e... voltei.
— A que horas?
— Não sei dizer. Caminhei sem parar. Devo ter chegado à casa por volta de meia-noite.
— Então...
A porta da cozinha foi aberta nesse momento.
— Ah, estão aí — disse o inspetor Kelsey.
O inspetor Crome passou à frente do colega, dirigindo um olhar de início a Poirot e depois fixando-se nos demais.
— Srta. Megan Barnard e sr. Donald Fraser — disse Poirot, fazendo as apresentações. — Este é o inspetor Crome, de Londres — explicou meu amigo.
Voltando-se para Crome, disse:
— Enquanto você investigava lá em cima, estive conversando com a srta. Barnard e o sr. Fraser, para ver se podia apurar alguma coisa que viesse a esclarecer o caso.
— Ah, sim? — retrucou Crome, com a atenção presa não em Poirot, mas nos dois jovens.
Poirot se afastou rumo ao hall. O inspetor Kelsey lhe perguntou com amabilidade, mal ele saía da cozinha:
— Conseguiu alguma coisa?
Mas teve sua atenção despertada pelo colega e não aguardou uma resposta à sua pergunta formal.
Eu me reuni a Poirot no hall.
— Alguma coisa impressionou você? — indaguei.
— Apenas a surpreendente magnanimidade do assassino, Hastings.
Não tive coragem de retrucar que não fazia a mínima ideia do que ele quisera dizer.

13

UMA CONFERÊNCIA

A MAIOR PARTE DE MINHAS LEMBRANÇAS relativas ao caso ABC parece se constituir de conferências. Na Scotland Yard. No apartamento de Poirot. Conferências oficiais. Conferências extraoficiais.

A conferência a que me refiro agora objetivava decidir se os fatos relativos às cartas anônimas deveriam ou não ser divulgadas através da imprensa.

O crime de Bexhill atraíra muito mais atenção do que o de Andover. Ele reunia, naturalmente, elementos de interesse popular muito mais sugestivos. Para começar, a vítima era uma jovem de boa aparência. E a tragédia, além disso, ocorrera numa popular estação balneária.

Todos os detalhes que cercavam o crime foram fartamente noticiados e com versões retocadas e chamativas. O guia de trens ABC contribuiu para uma parcela dessa atenção. A teoria favorita era a de que fora adquirido no local pelo assassino e se transformara numa pista valiosa para a sua identificação. E também parecia indicar que ele viera a Bexhill de trem e pretendera seguir para Londres.

O guia de trens não figurara no reduzido noticiário sobre o assassinato de Andover, assim os dois crimes não pareciam correlacionados aos olhos da opinião pública.

— Temos que decidir sobre a política a adotar — disse o delegado auxiliar. — A coisa está no seguinte pé: que orientação nos trará melhores resultados? Devemos apresentar ao público os fatos, solicitar sua cooperação? Afinal de contas, serão milhões de pessoas a colaborar conosco, em busca de um maníaco...

— Ele não deve proceder como um louco — objetou o dr. Thompson.

— ... tomarão nota das vendas do ABC, e coisas desse tipo — prosseguiu o delegado auxiliar, sem atentar para a objeção do médico. — Contra isso, suponho haver a vantagem de agir no escuro, não deixando nosso homem saber o que pretendemos fazer, mas aí ocorre o fato de que *ele sabe muito bem o que nós sabemos*. Ele chamou deliberadamente a atenção sobre si mesmo através dessas cartas. Bem, Crome, qual a sua opinião?

— Eu encaro a coisa da seguinte maneira, senhor. Se tornar público esse assunto, o *senhor estará fazendo jogo dele*. Eis o que ele deseja: publicidade, notoriedade. É o que está procurando. Não acha que tenho razão, doutor? Ele quer chamar atenção.

Dr. Thompson assentiu com a cabeça.

O delegado auxiliar disse pensativamente:

— Assim, você só conseguirá frustrá-lo. Recusando-lhe a publicidade que deseja fará com que ele anseie mais ainda por ela. Que tem a dizer sobre isso, sr. Poirot?

Poirot demorou um pouco a responder. Então disse, com o ar de quem escolhe as palavras com cuidado.

— É difícil para mim, Sir Lionel. Sou, como se poderia dizer, parte interessada nesse caso. O desafio foi dirigido a mim. Se eu declarar: não torne público esse fato, não seria lícito pensar que é a minha vaidade que se manifesta? Estaria zelando pela minha reputação? Como vê, é difícil responder. Para ser franco, contar tudo tem suas vantagens. É pelo menos, um alerta... Por outro lado, estou convencido, como o inspetor Crome, *ser isso mesmo que o assassino deseja que façamos*.

— Hum! — exclamou Sir Lionel, coçando o queixo. Voltou o olhar então para o dr. Thompson. — Vamos supor que recusemos ao nosso lunático a chance de uma publicidade que tanto almeja. O que ele faria nesse caso?

— Cometeria outro crime — retrucou o psiquiatra, prontamente. — Seria como forçá-lo a agir.

— E se divulgássemos a coisa toda através das manchetes dos jornais? Qual seria, então, a reação desse indivíduo?

— Minha resposta é a mesma. Por um lado, *alimentaria* sua megalomania, por outro o *frustraríamos*. O resultado é o mesmo: outro assassinato.

— O que tem a dizer, sr. Poirot?

— Concordo com o dr. Thompson.

— Uma espécie de beco sem saída, certo? Quantos crimes pensa que esse lunático ainda tem em mente?

Dr. Thompson olhou de relance para Poirot.

— Parece que irá de A a Z — disse com humor.

— Naturalmente que é isso que ele pretende, mas não o conseguirá. Nem ficará próximo de seu objetivo. O senhor o terá apanhado antes disso. Interessante seria ver como se arranjaria com a vítima da letra X. — Ele se sentia pessoalmente culpado por tratar a questão de maneira especulativa, na base do entretenimento. — Mas o senhor o terá em suas mãos antes que tal aconteça. Talvez ele fique na letra G ou H.

Sir Lionel soqueou a mesa, exclamando:

— Meu Deus, está querendo me dizer que haverá ainda cinco outros assassinatos?

— Eu não chegaria a tanto, senhor — disse o inspetor Crome. — Confie em mim.

Crome se expressava com autoconfiança.

— E que letra do alfabeto indicaria como ponto final dessa série de crimes, inspetor? — indagou Poirot.

Havia um leve toque de ironia na voz de meu amigo. Acho que Crome o olhou com um ar contrariado que perturbava sua expressão habitual de serena superioridade.

— Devemos apanhá-lo da próxima vez, sr. Poirot. Seja como for, asseguro que porei as mãos nele na hora em que chegar ao F.

Voltou-se então para Sir Lionel, observando:

— Penso que definimos de modo bem claro a psicologia desse caso. Que o dr. Thompson me corrija se eu estiver errado. Acho que cada vez que o ABC leva a cabo um crime, sua autoconfiança aumenta numa proporção de cem por cento. De cada vez ele se sente compelido a dizer: "Eu sou esperto, eles não conseguirão me pegar!", mas aí sua extrema autoconfiança o leva também a se descuidar. Superestima a sua esperteza e passa a julgar os outros cada vez mais tolos. E logo, logo, passará a não se incomodar em tomar quaisquer precauções. Estou certo, doutor?

Thompson assentiu.

— É o que comumente acontece. A questão não poderia ter sido melhor exposta numa terminologia leiga. Deve conhecer algo sobre o assunto, sr. Poirot. Não está de acordo com o que foi dito aqui?

Não creio que Crome tivesse gostado de Thompson ter consultado Poirot. Afinal, ele se considerava como o único *expert* no assunto.

— É como o inspetor Crome disse — concordou Poirot.

— Um caso de paranoia — murmurou o doutor.

Poirot se voltou para Crome, perguntando:

— Há algumas provas materiais de interesse relativas ao caso de Bexhill?

— Nada de conclusivo. Um garçom do *Splendide* de Eastbourne reconheceu pela foto de Betty Barnard a moça que jantou ali no dia 24 em companhia de um homem de meia idade, de óculos. Ela também foi reconhecida num motel, o *Scarlet Runner*, a meio caminho entre Bexhill e Londres. Dizem que ela esteve ali por volta de nove da noite do dia 24, com um homem que parecia ser um oficial de marinha. Temos que encarar como prováveis apenas tais testemunhos. Há, naturalmente, um bom número de outras identificações, mas nenhuma que nos mereça confiança. Não fomos capazes de descobrir a pista do ABC.

— Bem, você parece ter feito tudo o que era possível, Crome — disse o delegado. — Que tem a dizer agora, sr. Poirot? Que linha de investigação lhe parece mais aconselhável?

— Me parece que há um dado muito importante... a descoberta do motivo desses crimes.

— Isso é quase óbvio. Um complexo alfabético. Não é assim que o denomina, doutor?

— Ça, oui — disse Poirot. — Trata-se de um complexo alfabético. Mas por que essa fixação? Um doente mental parece ter sempre uma razão bem forte para os crimes que comete.

— Ora, vamos, sr. Poirot — observou Crome. — Lembre-se de Stoneman em 1929. Ele apenas acabou eliminando alguém que mal o incomodava.

Poirot o encarou, retrucando:

— Certo. Mas se você é uma pessoa bem-situada e importante, devem lhe ser poupados certos pequenos incômodos. Se uma mosca insiste em pousar por diversas vezes em sua testa, acabando por irritá-lo, o que faz então? Você se obstina em matar a tal mosca. Não experimenta qualquer escrúpulo em fazer isso. *Você* é importante, a mosca não. Portanto, você mata o inseto e a fonte de irritação desaparece. Seu ato surge a seus olhos como normal e justificável. Uma outra razão para exterminar a mosca reside no seu acentuado amor pela higiene. A mosca afinal é um perigo em potencial para a comunidade, assim deve desaparecer. O cérebro de um criminoso mentalmente desequilibrado funciona assim também. Mas observe o caso atual: *se as vítimas são escolhidas alfabeticamente, então elas não são eliminadas por significarem uma fonte de aborrecimento pessoal para o assassino.* Associar os dois fatores seria coincidência demais.

— Eis aí uma questão a considerar — disse o dr. Thompson. — Me lembro de certo caso em que um homem foi condenado à morte. Sua viúva passou então a dar cabo dos membros do júri, um a um. Esses crimes de saída não foram conectados com o caso. Pareceram então inteiramente casuais. Mas como diz o sr. Poirot, não se dá tal coisa com um assassino que comete crimes *ao acaso*. Ou ele elimina pessoas que se colocam (embora de modo insignificante) em seu caminho, ou então as assassina por *convicção*. Ele elimina sacerdotes, ou policiais, ou prostitutas porque crê firmemente que *devem* ser eliminados. E, pelo que observo, isso não se aplica ao presente caso. A sra. Ascher e Betty Barnard não podem ser enquadradas numa mesma classe de pessoas. Naturalmente, é possível que um complexo sexual intervenha nesses crimes. As duas vítimas eram mulheres. Bem, poderemos ter uma ideia melhor do assunto após o próximo crime...

— Pelo amor de Deus, Thompson, não se refira com essa naturalidade ao próximo crime — disse Sir Lionel, irritado. — Faremos tudo para impedir outro assassinato.

O dr. Thompson manteve a sua calma, respirando fundo. E sua atitude era a de quem estivesse querendo dizer: "Faça o que achar melhor. Se não deseja enfrentar os fatos..."

Sir Lionel voltou a se dirigir a Poirot.

— Percebo qual o rumo que está seguindo, mas ainda não vejo as coisas com clareza.

— Me pergunto — disse Poirot — o que se passa exatamente na mente do assassino? Ele mata, como pode ser notado por suas cartas, *pour le sport*, para seu entretenimento pessoal. Será isso realmente verdadeiro? E, caso o seja, apoiado em que princípio ele escolhe suas vítimas *afora o simples sistema alfabético*? Se mata meramente para divertir-se não deveria então notificar o fato, já que, de outro modo, poderia matar com impunidade. Mas não, como todos nós admitimos, ele deseja chocar a opinião pública, afirmar sua personalidade. De que modo sua personalidade foi recalcada a ponto de alguém poder associá-la com as duas vítimas por ele escolhidas? Uma última sugestão: Será que seu motivo direto e pessoal é o ódio que dedica a *mim*, Hercule Poirot? Será que me desafia publicamente por eu o ter (embora sem saber) derrotado de algum modo no decorrer da minha carreira? Ou a sua animosidade impessoal é dirigida contra um *estrangeiro*? E, se for este o caso, o que o levaria a nutrir tal animosidade? Que ofensa terá sofrido da parte de um estrangeiro?

— São observações muito sugestivas — disse o dr. Thompson.

O inspetor pigarreou antes de comentar:

— Realmente? Talvez sejam um pouco inadequadas no momento.

— De modo algum, meu amigo — disse Poirot, olhando-o fixamente. — É aí mesmo, nessas indagações, que se acha a solução. Se descobrirmos o motivo exato, fantástico, talvez para nós, mas lógico para ele, *pelo qual* nosso lunático comete esses crimes, poderemos saber, talvez, quem será a próxima vítima.

Crome balançou a cabeça e replicou:

— Ele as escolhe ao acaso, eis a minha opinião.

— O magnânimo assassino — disse Poirot.

— O que foi que disse?

— Eu disse: o magnânimo assassino! Franz Ascher poderia ter sido preso pelo assassinato de sua esposa e Donald Fraser também, pela morte de Betty Barnard, não fosse pelas cartas de advertência do ABC. Será então que ele é tão sensível a ponto de não poder admitir que outros sofram por algo que não cometeram?

— Não tenho conhecimento de que coisas estranhas assim aconteçam — observou o dr. Thompson. — Conheci homens que mutilaram cerca de seis pessoas tudo porque uma de suas vítimas não morrera no ato e sofrera um bocado. Ainda assim, não acho que seja essa a motivação de nosso homem. Ele anseia assumir a plena autoria desses crimes para sua própria honra e glória. Esta é a explicação mais adequada.

— Não chegamos a nenhuma decisão quanto à divulgação ou não dos fatos — disse Sir Lionel.

— Se me permite uma sugestão... — disse Crome. — Por que não aguardar o recebimento da próxima carta? Aí divulgaríamos o assunto através de edições especiais, etc. Ocasionaria um certo pânico na cidade a ser escolhida para o novo crime, mas colocaria de sobreaviso todo aquele cujo sobrenome comece por C, e poria em brios o ABC. Ele fará tudo para se sobressair. E será aí que o apanharemos.

O futuro mostraria o quanto estávamos desavisados.

14

A TERCEIRA CARTA

LEMBRO-ME BEM DA CHEGADA da terceira carta do ABC.

Devo dizer que todas as precauções haviam sido tomadas para que quando o ABC retomasse sua ofensiva não houvesse protelações nem contratempos. Um jovem sargento da Scotland Yard foi destacado para guardar o apartamento e caso Poirot e eu estivéssemos ausentes era sua obrigação atender a quem aparecesse a fim de se comunicar com o distrito policial sem demora.

À medida que os dias iam passando, nossa ansiedade aumentava. O ar distante e superior, típico do inspetor Crome, se acentuara mais ainda desde que, uma a uma, as pistas em que confiava foram frustradas. As descrições imprecisas de homens que teriam sido vistos em companhia da Betty Barnard resultaram inúteis. Vários carros notados nos arredores de Bexhill e Cooden estavam estacionados ali por motivos justificados ou então a polícia não conseguiu localizá-los. A investigação sobre as compras de exemplares do guia ABC trouxera apenas contrariedades para pessoas inocentes.

Quanto a nós, cada vez que a voz familiar e as batidas na porta do carteiro se faziam ouvir, nossos corações batiam mais depressa, apreensivos. Pelo menos comigo tal acontecia, e não tenho certeza, mas acho que Poirot experimentava a mesma sensação.

Eu sabia que ele se sentia profundamente desgostoso com aquele caso. Recusara se afastar de Londres, preferindo permanecer no centro dos acontecimentos para qualquer emergência. Naqueles dias críticos, mesmo o cuidado com seus queridos bigodes era esquecido por ele.

Foi numa sexta-feira que a terceira carta do ABC chegou, trazida pelo carteiro por volta das dez horas.

Ao escutar os passos e as batidas familiares, rápidas, me levantei depressa e fui apanhar a correspondência. Havia quatro ou cinco cartas, lembro-me agora. A última que olhei fora endereçada em letras de imprensa.

— Poirot! — gritei.

E minha voz sumiu.

— *Ela* chegou? Então trate de abri-la, Hastings. Rápido. Cada instante perdido é precioso demais. Temos que traçar nossos planos.

Rasguei o envelope (pela primeira vez, Poirot não fez reparos à minha negligência) e abri a folha escrita.

— Leia — disse Poirot.

Li então em voz alta:

Pobre sr. Poirot. Não é tão bom para solucionar esses problemas criminais como imaginava, hein? Quem sabe seus tempos áureos já se foram? Vejamos se dessa vez consegue melhor resultado. O caso de agora é mais fácil. Dia 30, em Churston. Tente fazer alguma coisa a respeito! É muito enfadonho encontrar *tudo* fácil em meu caminho, você sabe!

Boa caçada.

Sempre seu,

ABC.

— Churston — repeti, indo apanhar nosso exemplar de um guia ABC. — Vejamos onde fica...

— Hastings... — A voz de Poirot soou enérgica e veio interromper o que eu fazia. — Quando essa carta foi escrita? Está datada?

Relanceei o olhar pela carta ainda em minhas mãos.

— Foi escrita no dia 27 — anunciei.

— Será que ouvi bem, Hastings? E ele marcou a data do crime para o dia *30*?

— Exato. Deixe-me ver, isso...

— *Bon Dieu*, Hastings... você não percebeu ainda. Dia 30 é *hoje*.

Num gesto eloquente, ele apontou para a folhinha na parede. Eu peguei o jornal do dia para confirmá-lo.

Poirot apanhou o envelope rasgado que caíra sobre o tapete. Minha mente captara alguma coisa de diferente no endereço, mas estando muito ansioso para saber o conteúdo da carta não prestara a devida atenção a tal detalhe.

Naquela época, Poirot estava morando em Whitehaven Mansions. No endereço, lia-se: *Sr. Hercule Poirot, Whitehorse Mansions*, e no canto do envelope estava anotado: *"Não é conhecido em Whitehorse Mansions, D.P.I., nem em Whitehorse Court, procurar em Whitehaven Mansions."*

— *Mon Dieu!* — exclamou Poirot. — Será que até o acaso está ajudando esse louco? *Vite, vite*, temos que alertar a Scotland Yard.

Um minuto depois já estávamos com o inspetor Crome na linha. Dessa vez pelo menos aquele policial tão controlado não respondeu: "Oh, sim?" Em vez disso uma imprecação surda lhe escapou dos lábios. Escutou o que tínhamos a dizer, então desligou para se comunicar com Churston o mais rápido possível.

— *C'est trop tard* — murmurou Poirot.

— Você não pode ter tanta certeza — argumentei, embora sem muita convicção.

Poirot olhou o relógio, dizendo:

— Dez e vinte. Falta apenas uma hora e quarenta minutos. Será que o ABC esperará tanto tempo assim?

Abri o guia de trens que apanhara há pouco da estante e li:

— Churston, Devon, dista 204 milhas de Paddington. 656 habitantes. Trata-se de um lugar bem pequeno. Certamente nosso homem deve ter sido notado ali.

— Ainda assim, outra vida humana será destruída — murmurou Poirot. — E que me diz dos trens? Penso que será mais rápido do que ir de carro.

— Há um trem à meia-noite, com carro-dormitório para Negton Abbot e que chega lá às seis e oito horas da manhã, e depois em Churston às 7h15.

— Vindo de Paddington?

— Sim.

— Nós vamos tomá-lo então, Hastings.

— Dificilmente terá tempo de obter informações novas antes de partirmos.

— E que importância terá recebermos más notícias hoje ou amanhã de manhã?

— Há alguma diferença nisso.

Coloquei algumas coisas numa maleta enquanto Poirot telefonava novamente para a Scotland Yard.

Pouco depois ele entrava no quarto e me perguntava:

— *Mais qu'est ce que vous faites là?*

— Estou arrumando a mala para você. Pensei em poupar tempo.

— *Vous éprouvez trop demotion*, Hastings. Isso afeta seus gestos e pensamentos. Isso é maneira de dobrar um casaco? E veja só o que fez com meu pijama. Se o frasco da loção capilar quebrar, o que será então?

— Santo Deus, Poirot! — exclamei. — Estamos às voltas com um assunto de vida ou morte. Assim, que importa o que aconteça com as nossas roupas?

— Você não tem senso de medida, Hastings. Não podemos pegar um trem antes da hora em que ele sai realmente da estação, e o fato de estragar nossas roupas não ajudará nada a impedir um crime.

Tirando com firmeza a maleta das minhas mãos, ele mesmo concluiu a arrumação. Explicou-me que teríamos que levar a carta e o envelope para Paddington. Alguém da Scotland Yard iria nos encontrar lá.

Quando chegamos na estação ferroviária, a primeira pessoa que vimos na plataforma foi o inspetor Crome.

Ele respondeu diante do olhar interrogativo de Poirot.

— Nenhuma novidade ainda. Todos os homens disponíveis estão efetuando buscas por lá. Todas as pessoas cujo nome comece por C estão sendo avisadas por telefone, na medida do possível. Há uma chance de acertarmos. Onde está a carta?

Poirot a entregou ao inspetor, que a leu resmungando baixinho.

— Que azar danado! A sorte parece a favor desse sujeito.

Ele se referia ao endereço equivocado.

— Não dá para se pensar que isso foi feito de propósito? — insinuei.

— Não. Ele tem suas normas, loucas é certo, e se deixa guiar por elas. Um aviso cortês... Ele faz questão disso. Eis aí a prova de sua jactância. Imagino... tenho quase certeza de que esse cara prefere o uísque *White Horse*.

— *Ah, c'est ingénieux, ça!* — disse Poirot, em tom elogioso, a despeito de não se dar bem com o inspetor. — Enquanto ele escrevia a carta, tinha uma garrafa desse uísque à sua frente.

— É o que parece — disse Crome. — Todos nós uma vez ou outra fazemos a mesma coisa, de modo inconsciente, copiando algo que está diante de nossos olhos no momento. Ele fixou na mente a palavra *horse* escrevendo-a no envelope em vez de *haven...*

O inspetor viajaria no mesmo trem em outro carro-dormitório.

— Ainda que por uma incrível sorte nada aconteça, Churston é o lugar mencionado pelo assassino. E ele ali está, ou esteve ainda hoje. Um de meus homens está aqui atento a qualquer telefonema de última hora e virá me notificar antes que o trem saia.

Justamente quando o trem ia deixar a estação vimos um homem correr pela plataforma. Logo alcançava a janelinha na qual o inspetor assomara a cabeça e lhe comunicava algo.

Mal o trem se pôs em marcha, Poirot e eu atravessamos o corredor e fomos bater na porta do compartimento do inspetor Crome.

— Recebeu alguma informação importante, não? — perguntou Poirot.

Crome disse pausadamente:

— Acho que pior não podia ser. Sir Carmichael Clarke foi encontrado morto com a cabeça esmagada.

Sir Carmichael Clarke era uma pessoa de certa reputação, embora não fosse muito conhecido do grande público. Até certa época, desfrutara de algum renome como especialista em laringologia. Ao se aposentar em boa situação financeira, pudera dedicar-se mais ao que era uma das grandes paixões da sua vida: a coleção de cerâmica e porcelana chinesas. Alguns anos depois, herdara uma substancial fortuna de um tio idoso e pudera ampliar bastante sua coleção, tornando-se o detentor de uma das mais conhecidas e apreciadas coleções de arte chinesa. Ele se casara, mas não tinha filhos, e residia numa casa que construíra para si mesmo próxima da costa de Devon. Só vinha a Londres em raras ocasiões quando alguma peça rara era leiloada na capital.

Era fácil deduzir que a sua morte, logo após a da jovem e bonita Betty Barnard, forneceria matéria de sensação aos melhores jornais por muito tempo. Afinal era agosto e os jornalistas estavam ansiosos por um assunto momentoso, o que devia complicar mais as coisas.

— *Eh bien* — disse Poirot. — É possível que a publicidade faça por esse caso o que a iniciativa privada não conseguiu fazer. O país todo deve estar agora à procura do ABC.

— Infelizmente é o que ele deseja — observei.

— Exato. Mas isso poderá ser, do mesmo modo, sua ruína. Encantado com o sucesso, ele pode se tornar descuidado... É o que espero... que se embriague com sua própria esperteza.

— Como é estranho esse caso, Poirot — observei, quando uma súbita ideia despontou em minha mente. — Você sabe que se trata do primeiro crime desse tipo em que atuamos juntos? Todos os anteriores tinham sido, digamos assim, assassinatos privados.

— Tem toda razão, meu amigo. Até então, nosso destino sempre foi lidar com crimes *interiores*. A história da *vítima* era o que importava. E as indagações importantes sempre foram: "Qual o beneficiado com a morte de determinada pessoa? Que oportunidades os familiares do morto tiveram para consumar o crime?" Tratava-se sempre de um *crime íntimo*. Agora, pela primeira vez desde que nos associamos, estamos lidando com um crime cometido a sangue frio, impessoal. Crime *exteriorizado*.

Senti um leve estremecimento e murmurei:

— É deveras horrível...

— Sim. Desde o primeiro momento, quando li a carta inicial, senti que havia ali alguma coisa irregular... deformada... — Fez um gesto impaciente e acrescentou: — Mas não devemos nos deixar trair pelos nervos... *Esse não é pior do que qualquer crime comum...*

— Ele é... — não consegui encontrar a palavra certa.

— Será pior tirar a vida ou vidas de estranhos do que eliminar alguém muito íntimo e estimado por você... uma pessoa que confia e acredita em você?

— Acho que esse crime é pior por ser *anormal*...

— Não, Hastings. Não é *pior*, somente mais *difícil*.

— Não, não concordo com você. É infinitamente mais aterrorizante.

Hercule Poirot disse com ar pensativo:

— Deveria ser mais fácil de deslindar por ser obra de um anormal. Um crime cometido por alguém lúcido e sadio deveria ser muito mais complicado. No presente caso, se pudéssemos apreender sua *essência*... Essa questão do alfabeto apresenta certas discrepâncias. Se eu pudesse ter a *ideia* que preside esses crimes, aí então tudo se tornaria claro e simples...

Meu amigo suspirou e balançou a cabeça.

— Esses crimes não prosseguirão. Logo, logo, devo descobrir a verdade... Bem, Hastings, vamos dormir um pouco. Teremos muito o que fazer amanhã.

15

Sir Carmichael Clarke

CHURSTON, QUE SE LOCALIZA entre Brixham por um lado e Paignton e Torquay pelo outro, ocupa um trecho que fica a meio caminho da curva de Torbay. Até uns dez anos atrás, era simplesmente uma extensão de campos de golfe e, atrás destes, uma área verdejante do campo ia se encontrar com o mar. Havia ali, então, apenas uma fazenda ou duas marcando a presença humana naquelas paragens. Mas nos últimos anos acontecera um surto de construções ali, entre Churston e Paignton, e a zona costeira estava agora ocupada por pequenas casas e bangalôs, novas estradas, etc.

Sir Carmichael Clarke adquirira um sítio de razoável extensão e de onde se tinha uma visão continuada do mar. A casa fora construída em estilo moderno — um retângulo branco que não desagradava a quem via. Afora as duas grandes galerias que abrigavam a coleção de arte chinesa, o resto da casa não era amplo.

Nossa chegada ali ocorreu por volta de oito da manhã. Um policial local nos recebera na estação e nos colocara a par da situação.

Segundo fomos informados, Sir Carmichael Clarke costumava dar um passeio toda noite após o jantar. Quando a polícia telefonou — pouco após as onze horas da noite — soube que o dono da casa não voltara. Já que seu passeio habitual sempre seguia o mesmo caminho, não levou tempo para que um investigador descobrisse o cadáver. A morte fora ocasionada por um violento golpe desferido com algum objeto pesado no crânio da vítima. *Um guia ABC aberto fora colocado ao contrário sobre o cadáver.*

Nós nos apresentamos em Combeside (assim era chamada a casa) por volta de oito horas. A porta foi aberta por um mordomo idoso, cujas mãos trêmulas e a fisionomia conturbada demonstravam o quanto aquela morte trágica o afetara.

— Bom dia, Deveril — disse o policial.

— Bom dia, sr. Wells.

— Estes senhores vieram de Londres, Deveril.

— Por aqui, cavalheiros...

E nos levou a uma sala de jantar comprida, onde o desjejum ia ser servido.

— Vou chamar o sr. Franklin.

Dois minutos depois um homem corpulento, com o rosto queimado de sol, entrou na sala. Era Franklin Clarke, irmão único do morto.

Ele tinha as maneiras desinibidas e corretas de um homem acostumado a enfrentar contratempos.

— Bom dia, senhores.

O inspetor Wells fez as apresentações.

— Este é o inspetor Crome da C.I.D., sr. Hercule Poirot e o... capitão Hayter.

— Hastings — retifiquei friamente.

Franklin Clarke apertou a mão de cada um de nós e esse gesto se fez acompanhar de um olhar penetrante.

— Aceitam comer alguma coisa? — perguntou ele. — Podemos tratar do assunto enquanto comemos.

Todos concordaram e logo estávamos apreciando excelentes ovos, bacon e café.

— Agora vamos ao caso — disse Franklin Clarke. — O inspetor Wells já me deu uma breve ideia do que está acontecendo, embora deva lhes dizer que essa história é uma das mais extravagantes que já ouvi. Devo acreditar realmente, inspetor Crome, que meu pobre irmão foi vítima de um maníaco homicida, que esse já é o terceiro assassinato cometido e que *em todos eles um guia ABC foi colocado junto ao cadáver*?

— Foi o que ocorreu de fato, sr. Clark.

— Mas *por quê*? Que benefício material poderia advir de um crime assim, mesmo se tratando da imaginação mais doentia?

Poirot assentiu com um gesto de cabeça.

— Foi direto ao âmago da questão, sr. Franklin.

— Não é muito adequado procurar motivos nessa fase dos acontecimentos, sr. Clark — disse o inspetor Crome. — É assunto para um psiquiatra, embora eu confesse ter uma certa experiência de crimes cometidos por lunáticos e que seus motivos são comumente descabidos. Há um evidente desejo de autoafirmação dessas personalidades doentias, procurando chocar a opinião pública... na realidade, tornar-se alguém em vez de um ser anônimo.

— Concorda com isso, sr. Poirot?

Clarke parecia não acreditar no que ouvira. O apelo feito ao mais velho do grupo ali presente não foi do agrado do inspetor Crome, que franziu a testa.

— Perfeitamente — replicou meu amigo.

— Seja como for, um homem desses não demorará a ser descoberto — disse Clarke, com ar pensativo.

— *Vous croyez?* Mas *ces gens là* são muito astutas! E deve saber que *um tipo assim exibe comumente os mesmos traços distintivos de outras pessoas*. Ele pertence a essa classe de criaturas que passam em branco, ignoradas ou, então, são objeto de riso!

— Gostaria que me desse algumas informações concretas, sr. Clarke — disse Crome, interrompendo a conversa.

— Pois não.

— Seu irmão estava bem-disposto e com a aparência normal ontem? Não recebeu nenhuma carta inesperada? Ou nada que viesse a perturbá-lo?

— Não. Eu diria que estava com sua disposição e ânimo costumeira.

— Nem inquieto ou preocupado de algum modo?

— Desculpe, inspetor. Eu não quis dizer isso. Estar agitado e preocupado era o estado normal de meu pobre irmão.

— Por que vivia assim?

— O senhor certamente ignora que minha cunhada, Lady Clarke, está muito doente. Para ser franco, ela sofre de uma forma de câncer incurável, e está com seus dias praticamente contados. Sua doença afligiu profundamente meu irmão. Vindo do Leste não faz muito tempo, me senti impressionado com a mudança que se operou nele.

Poirot interpôs outra indagação:

— Suponhamos, sr. Clarke, que seu irmão tivesse sido encontrado morto aos pés dos rochedos... ou com um revólver a seu lado. Em que o senhor teria pensado de imediato?

— Para ser franco, eu concluiria que ele se suicidara — retrucou Clarke.

— *Encore!* — murmurou Poirot.

— Como?

— Estava pensando em voz alta. Nada importante.

— De qualquer modo, *não foi* suicídio — disse Crome, com certa rispidez. — Pelo que soube, sr. Clarke, era costume de seu irmão dar um pequeno passeio todas as noites, não?

— Exato. Ele sempre fazia isso.

— Todas as noites?

— Bem, desde que não estivesse chovendo, naturalmente.

— E todos nessa casa sabiam desse hábito de Sir Carmichael?

— Naturalmente.

— E quanto aos de fora?

— Não percebo bem a quem o senhor se refere com essa expressão. O jardineiro, por exemplo, poderia estar a par desses passeios, não posso afirmar.

— E no povoado?

— Para sermos precisos, não há o que se poderia chamar de povoado aqui. Há uma agência dos Correios e chalés em Churston Ferrers, mas nenhuma vila ou lojas.

— Suponho que a presença de um estranho rondando esse lugar seria logo notada?

— Pelo contrário. No mês de agosto, esse canto do mundo fervilha de estranhos. Eles chegam todos os dias de Brixham, Torquay e Paignton de carro, ônibus ou a pé. Broadsands, que se pode avistar daqui (ele apontou pela janela), é uma praia muito popular, assim como a enseada de Elbury, bem-conhecida por sua beleza natural, e as pessoas fazem piqueniques ali. Bem que gostaria que não viessem! Não têm ideia de como é belo e calmo esse lugar em junho e no início de julho.

— Então, não acha que um estranho viesse a ser notado?

— Não, a menos que parecesse... bem, fora do normal.

— Nosso homem não deve se apresentar assim — disse Crome, com ar de quem tem plena certeza do que diz. — O senhor compreende onde quero chegar. Esse indivíduo deve ter andado por aí observando e descobriu que Sir Carmichael costumava dar um passeio à noite. Imagino, assim, que um estranho talvez tivesse vindo a essa casa ontem para ver seu irmão, sr. Clarke.

— Que eu saiba, não... mas podemos perguntar a Deveril.

Clarke fez soar a sineta e, quando o mordomo apareceu, fez a pergunta desejada.

— Não, senhor, ninguém veio falar com o patrão. E não vi nenhum estranho rondando a casa. Os criados também não viram, pois eu lhes perguntei.

O mordomo esperou um instante, então perguntou:

— É só, senhor?

— Sim, Deveril, pode ir.

O mordomo se afastou, mas ao chegar à porta da sala recuou ligeiramente para dar passagem a uma moça.

Franklin Clarke se levantou assim que a viu se aproximar.

— É a srta. Grey, senhores. A secretária de meu falecido irmão.

Minha atenção foi logo despertada pela extraordinária beleza nórdica da jovem. Ela tinha aquele tom indefinível, quase transparente de cabelo, os olhos cinzentos brilhantes, assim como a tez de uma alvura luminosa que se encontra entre as norueguesas e suecas. Ela teria uns 27 anos e parecia ser tão eficiente como secretária quanto uma beleza ornamental.

— Posso lhes ser útil de algum modo? — indagou ela ao se sentar.

Clarke lhe trouxe uma xícara de café, mas ela recusou comer alguma coisa.

— A senhorita cuidava da correspondência de Sir Carmichael? — indagou Crome.

— Sim.

— E ele nunca recebeu uma ou mais cartas assinadas com ABC?

— ABC? — balançou a cabeça. — Não, estou certa que não.

— E ele não disse ter visto alguém observá-lo durante seus passeios noturnos nos últimos dias?

— Não. Ele nunca mencionou nada assim.

— E você não chegou a notar nenhum estranho pelas imediações dessa casa?

— Que estivesse espreitando a casa, não. Naturalmente que há uma porção de gente *vagueando* por aí, digamos assim, nessa época do ano. Muitas vezes encontramos pessoas caminhando sem um objetivo definido pelos campos de golfe ou mais abaixo em direção à praia. De certo modo, todas as pessoas que vemos nessa época de verão são praticamente estranhas aqui.

Poirot assentiu com a cabeça, pensativo.

O inspetor Crome pediu que lhe indicassem o trecho percorrido por Sir Carmichael em seu passeio noturno. Franklin Clarke mostrou o caminho através da porta envidraçada. A srta. Grey nos acompanhou.

Ela e eu caminhávamos um pouco atrás dos demais.

— Deve ter sido um choque muito grande para você — observei.

— Ainda custo a acreditar que tenha acontecido. Já tinha subido para meu quarto ontem à noite quando telefonaram da delegacia. Escutei vozes lá embaixo e então resolvi descer para saber do que se tratava. Deveril e o sr. Clarke estavam lá fora com lanternas.

— A que horas o sr. Carmichael costumava voltar de seu passeio?

— Por volta de 9h45. Ele costumava entrar sem bater por uma porta lateral e algumas vezes ia direto para a cama, ou então à galeria onde estão suas coleções. Eis por que, se a polícia não se comunicasse conosco, sua ausência não seria notada senão quando fossem despertá-lo nessa manhã.

— Certamente foi um grande golpe para a esposa dele...

— Lady Clarke está sob a ação de morfina há algum tempo. Acho que se encontra num estado de atordoamento que não lhe permite perceber bem o que ocorre à sua volta.

Nós já cruzávamos a porteira do jardim seguindo na direção dos campos de golfe. Atravessando uma das extremidades daqueles terrenos, ultrapassamos depois uma cerca, nos encontrando numa vereda meio íngreme, sinuosa.

— Isso aqui leva mais abaixo à enseada de Elbury — explicou Clarke. — Mas há dois anos construíram uma nova estrada partindo da via principal até Broadsands e de lá a Elbury. Assim, esse caminho agora ficou praticamente abandonado.

Descemos a vereda alcantilada. No fim da mesma seguia-se por uma trilha por entre sarças e fetos descendo para o mar. De repente, nos achamos num ressalto relvoso de onde se descortinava o mar e uma praia de pedras brancas, brilhantes. Em toda volta, viam-se árvores com ramagens de um verde-escuro que pareciam se inclinar para o mar. Era um encantador cenário: branco, verde intenso e azul-safira.

— Que beleza! — exclamei.

— Não é mesmo? Por que as pessoas viajam até a Riviera quando têm isso aqui? Já viajei muito pelo mundo em minha mocidade e, Deus é testemunha, nunca vi outra coisa tão bela.

Então, como se envergonhado por seu arrebatamento, Clarke disse num tom mais formal:

— Esse era o trajeto habitual de meu irmão em seus passeios noturnos. Ele vinha até aqui, então retornava à trilha e, dobrando à direita em vez da esquerda, passava pela fazenda e se dirigia para casa através dos campos de golfe.

Retomamos o caminho de volta até chegarmos perto de um trecho próximo à cerca viva, a meio caminho através do campo onde o cadáver fora encontrado.

Crome fez um sinal com a cabeça, dizendo:

— Foi bastante fácil. Nosso homem ficou parado aqui na sombra. Seu irmão não deve ter percebido nada até receber o golpe na cabeça.

A jovem secretária a meu lado teve um leve estremecimento. Franklin Clarke disse então:

— Coragem, Thora. Sei que foi algo brutal, mas nada se ganha fugindo à evidência.

"'Thora Grey'... O nome lhe assentava bem", pensei.

Chegamos de volta à casa para onde o corpo de Sir Carmichael fora levado após ser fotografado.

Subíamos a escadaria que levava aos quartos quando o médico saía de um deles, maleta preta na mão.

— Alguma coisa para nós, doutor? — perguntou Clarke.

O médico balançou a cabeça.

— Um caso realmente simples. Detalhes técnicos reservo para o inquérito. Seja como for, ele não chegou a sofrer. A morte deve ter sido instantânea.

Já se afastava quando disse:

— Devo ver agora Lady Clarke.

Uma enfermeira do hospital apareceu no longo do corredor e o médico foi a seu encontro.

Nós entramos no aposento do qual o médico saíra há pouco. Mas eu me apressei em sair dali. Notara que Thora Grey ainda estava no alto da escadaria.

Ela tinha uma expressão meio assustada e eu me aproximei, indagando:

— Srta. Grey... — fiz uma breve pausa antes de concluir: — Está assim por causa do que aconteceu?

Thora me fitou antes de responder:

— Estava pensando no D.

— No D? — olhei para ela intrigado.

— Sim. O próximo crime. Algo deve ser feito. Isso tem que ser detido.

Clarke saíra do quarto depois de mim e perguntou:

— O que deve ser detido, Thora?

— Esses crimes horríveis.

— Ah, sim. — Seus lábios foram contraídos num rictus agressivo. — Desejo ter uma conversa qualquer dia desses com o sr. Poirot... Esse Crome é dos bons? — Lançava as palavras no ar de modo inesperado.

Retruquei que Crome era tido como um policial muito hábil.

Minha entonação de voz não soou com a veemência que se poderia esperar.

— Ele tem bons modos muito ostensivos — disse Clarke. — Tem um ar de quem sabe tudo... e o que *deve* saber afinal? Nada, como eu até agora pude observar.

Ficou em silêncio por um minuto ou dois e então disse:

— O sr. Poirot, sim, é o homem que merece minha confiança. Eu tenho um plano. Mas conversaremos sobre isso mais tarde.

Clarke se afastou, indo bater na mesma porta pela qual o médico entrara.

Hesitei um instante antes de retomar a conversa com Thora Grey. Ela estava parada, olhando para a porta em frente.

— Em que está pensando, srta. Grey?

Voltou-se para mim, retrucando:

— Estava imaginando *onde ele se encontra agora*... o assassino, quero dizer. Não tem nem 12 horas que aquilo aconteceu. Oh, será que não há nenhum *verdadeiro* clarividente que possa saber onde ele está agora e o que se dispõe a fazer?...

— A polícia está investigando... — comecei a dizer.

Minhas palavras corriqueiras romperam o encantamento. E Thora Grey voltou à realidade.

— Sim — disse ela então. — É claro.

Desceu a escada devagar. Fiquei imóvel um instante, refletindo sobre o que ela dissera.

O ABC...

Onde estaria ele agora?...

16

Não faz parte da narrativa pessoal do capitão Hastings

O SR. ALEXANDER BONAPARTE CUST saiu com outras pessoas que tinham ido ao Torquay Palladium, onde estava sendo exibido o emocionante filme *Not a Sparrow*...

Piscou um pouco assim que seus olhos se reencontraram com a claridade forte do sol da tarde e olhou com atenção à sua volta com aquele ar de cão perdido que lhe era peculiar.

Pensou então em voz alta: "Isso me dá uma ideia..."

Pequenos jornaleiros passavam, anunciando as últimas:

— Crime de um maníaco em Churston...

Carregavam cartazes onde se lia:

"ASSASSINATO EM CHURSTON. ÚLTIMAS NOTÍCIAS."

O sr. Cust remexeu no bolso, retirou uma moeda e comprou um exemplar. Mas não o abriu logo.

Entrando no *Princess Gardens*, caminhou lentamente até um banco em frente ao ancoradouro de Torquay. Então, se sentou e abriu o jornal.

Percorreu com o olhar as manchetes:

"SIR CARMICHAEL CLARKE ASSASSINADO."

"TERRÍVEL TRAGÉDIA EM CHURSTON."

"OBRA DE UM MANÍACO HOMICIDA."

E logo abaixo, lia-se:

"Há apenas um mês a Inglaterra se viu surpreendida e chocada pelo assassinato de uma jovem, Elizabeth Barnard, em Bexhill. Recorde-se que um guia de trens ABC figurou nesse caso. E outro exemplar do ABC foi encontrado junto ao corpo de Sir Carmichael Clarke, o que leva a polícia a crer terem sido os dois crimes cometidos pela mesma pessoa. Será possível que um maníaco homicida esteja rondando os nossos balneários?..."

Um jovem usando calças de flanela e uma camisa azul-brilhante se sentou ao lado do sr. Cust, comentando:
— Que coisa sórdida, não?
O sr. Cust, tirado de sua abstração, murmurou:
— Oh, sim... muito...
Suas mãos, como o rapaz pôde notar, tremiam tanto que ele mal conseguia manter o jornal na posição correta.
— Você nunca sabe quando está diante de um desses malucos — disse o moço da camisa azul, muito falante. — Nem sempre dão a pinta do que são. Muitas vezes parecem exatamente iguais a você ou a mim...
— Suponho que seja assim — disse Cust.
— É um fato, amigo. Muita vez é a guerra que os deixa desequilibrados, nunca voltam a ser o que eram.
— Eu... acho que tem razão.
— Nunca suportei as guerras — disse o jovem.
Seu companheiro de banco o fitou, retrucando:
— Também não suporto a peste, a encefalite, a fome e o câncer... mas o fato é que acontecem!
— A guerra pode ser evitada — disse o outro, com convicção.
O sr. Cust riu demoradamente.

O rapaz o olhou meio suspicaz. E pensou: "Esse sujeito parece meio maluco." Mas acabou dizendo:

— Sinto, senhor, já vi que esteve na guerra.

— Estive — disse Cust. — E ela... me perturbou. Desde então minha cabeça não anda muito bem. Ela dói, sabe. Dores terríveis.

— Oh, lamento muito — murmurou o rapaz, embaraçado.

— Certas vezes nem sei o que estou fazendo...

— É mesmo? Bem, eu tenho que ir — disse o jovem, e se afastou apressadamente. Sabia como era maçante quando as pessoas começavam a falar de suas doenças.

O sr. Cust continuou a ler e reler o jornal.

Pessoas iam e vinham passando por ele. Muitas falavam sobre o assassinato de Churston...

— Que coisa horrível... Acho que tem algo a ver com os chineses. A garota da outra vez não era garçonete de uma lanchonete chinesa?...

— E agora no campo de golfe...

— Ouvi dizer que foi na praia...

— ... e, querida, nós tomamos nosso chá em Elbury ainda *ontem*...

— ... a polícia está certa de agarrá-lo...

— ... dizem que será preso a qualquer momento...

— ... é quase certo que ele esteja em Torquay... que outra mulher venha a ser assassinada...

O sr. Cust dobrou o jornal cuidadosamente e o deixou sobre o banco. Então, levantou-se e caminhou calmamente em direção ao centro da cidade.

Algumas mocinhas passaram por ele, garotas de branco-rosa e azul, de vestidos leves de verão, saídas de praia e bermudas. Riam com expressão maliciosa. Avaliavam com o olhar os homens que passavam pela calçada.

Nenhuma daquelas garotas olhou um segundo que fosse para o sr. Cust.

Ele se sentou na mesinha de calçada de um bar e pediu chá e creme de Devonshire ao garçom...

17

ENCONTRO MARCADO

COM O ASSASSINATO DE SIR CARMICHAEL CLARKE o mistério do ABC alcançou grande destaque.

O assunto monopolizava o noticiário dos jornais. Todas as espécies de "pistas" eram apontadas como já descobertas pela polícia. Prisões eram anunciadas para qualquer momento. Fotografias de pessoas ou lugares remotamente relacionados com o crime eram publicadas. Quem pudesse dar quaisquer informações era logo entrevistado. O assunto também era comentado no Parlamento.

O crime de Andover passara agora a ser relacionado com os outros dois.

A Scotland Yard acreditava que essa onda publicitária era a melhor arma para agarrar o assassino. A população da Grã Bretanha se transformava, assim, num exército de detetives amadores.

Os editores do *Daily Flicker* tiveram um rasgo de inspiração ao apelar para este alerta: "ELE PODE ESTAR EM SUA CIDADE!"

Poirot, naturalmente, estava na ordem do dia. As cartas-desafio que recebera foram publicadas e fotografadas. Ele foi criticado indiscriminadamente por não ter evitado os crimes e defendido sob a alegação de estar prestes a identificar o assassino.

Os repórteres o assediavam sem cessar para entrevistas.

Declarações do sr. Poirot feitas hoje...

E a seguir vinha uma meia coluna de imbecilidades.

Monsieur Poirot faz um sombrio balanço da situação.

Monsieur Poirot às vésperas de solucionar o caso.

O capitão Hastings, grande amigo de Monsieur Poirot, fala ao nosso enviado especial...

— Poirot! — exclamei exasperado. — Por favor, acredite em mim. Eu nunca disse nada do que está aí escrito.

Meu amigo retrucou em tom cordial, acalmando-me:

— Eu sei, Hastings, eu sei. Há um abismo incrível entre a palavra falada e a palavra escrita. Há uma maneira de alterar as frases que deforma completamente o significado original das mesmas.

— Não gostaria que você pensasse que eu disse essas...

— Não deve se preocupar. Tudo isso não tem a mínima importância. E, mesmo essas tolices, devem ser de alguma ajuda.

— Como?

— *Eh bien* — disse Poirot, sério. — Se nosso homem ler minhas supostas declarações ao *Daily Blague* publicadas hoje deve perder todo o receio por mim como adversário! Estou, talvez, dando a impressão de que nada de positivo estava sendo feito no terreno das investigações.

Pelo contrário, a Scotland Yard e a polícia local de várias comarcas se mostravam infatigáveis ao seguirem as mínimas pistas.

Hotéis, pessoas que dirigiam pensões ou alugavam quartos, todos que se incluíam num amplo raio de ação do possível criminoso eram interrogados exaustivamente.

Centenas de histórias, fruto da imaginação de pessoas que tinham "visto um homem de ar muito esquisito e revirando os olhos", ou "observado um indivíduo com um rosto sinistro se movendo furtivamente", eram investigadas nos mínimos detalhes. Nenhuma informação, por mais vaga que fosse, era ignorada. Trens, ônibus, caminhões, motoristas, porteiros, chefes de estação ferroviária, donos de livrarias... tudo era motivo de uma infatigável série de perguntas e verificações.

Um certo número de pessoas, pelo menos, foram detidas e interrogadas até que pudessem convencer a polícia sobre o que haviam feito realmente na noite do crime.

O resultado dessas investigações não foi de todo inútil. Certas informações deram o que pensar e foram anotadas como possivelmente úteis, mas, sem uma prova posterior, não levavam a nada.

Se por um lado Crome e seus colegas se mostravam infatigáveis, por outro Poirot me parecia estranhamente passivo. E sobre isso não deixávamos de discutir.

— Mas o que gostaria que eu fizesse, meu amigo? A polícia sabe, melhor do que eu, cuidar desses interrogatórios de rotina. Você... sempre querendo me ver farejando aqui e ali como um perdigueiro.

— E assim, você fica em casa sentado como... como...

— Um homem sensato! Minha força, Hastings, está em meu *cérebro*, não em meus *pés*! Durante todo esse tempo em que você me imagina ocioso, estou refletindo.

— Refletindo?! — exclamei. — E é hora para reflexões?

— Sim, um milhão de vezes sim.

— Mas que poderá ganhar por meio de meditação? Você conhece de cor e salteado os fatos relativos a esses três crimes.

— Não é sobre os fatos que estou refletindo, mas sobre a mentalidade do assassino.

— A mente de um louco!

— Precisamente. E, portanto, não pode ser apreendida num minuto. *Quando eu souber como o criminoso é, aí serei capaz de descobrir a sua identidade.* E nesse tempo todo venho aprendendo sempre um pouco mais. Por ocasião do crime de Andover, o que sabíamos sobre o assassino? Praticamente nada. E após o crime de Bexhill? Um pouco mais. E mais ainda depois do crime de Churston. Começo a perceber, não o que *você* gostaria que eu visse, isto é, o esboço de um *rosto e um corpo*, mas os traços de uma *personalidade*. Uma mente que age e se orienta em certas direções definidas. Após o próximo crime...

— Poirot!

— Mas, sim, Hastings, penso que é quase certa a ocorrência de um novo crime. Um bocado de coisas depende de *la chance*.

Até agora nosso *inconnu* tem sido feliz. Mas dessa vez a sorte pode abandoná-lo. Mas, de qualquer modo, após um outro crime, já deveremos saber muito mais. O crime é terrivelmente revelador. Você pode testar e diversificar seus métodos como quiser, também seus gostos, hábitos, atitude intelectual, mas sua alma é revelada por suas ações. Existem indicações confusas, algumas vezes têm-se a impressão de duas inteligências em ação, mas cedo o esboço se tornará claro, *eu sei*.

— Quem é ele?

— Não, Hastings, eu não posso saber seu nome e endereço! Eu posso, isso sim, conhecer *que tipo de homem ele é...*

— E então?

— *Et alors, je vais à la pêche.*

Como o olhasse meio intrigado, ele comentou:

— Como sabe, Hastings, um bom pescador sabe exatamente que tipo de isca deve oferecer a cada peixe. Eu devo escolher o tipo correto de isca.

— E então?

— E então? Você está pior do que o arrogante Crome, com seu eterno "Oh, sim?". *Eh bien*, e então nós devemos pegar a isca e o anzol e esticar a linha...

— Nesse meio tempo pessoas estarão morrendo aqui e ali.

— Três pessoas morreram. E o que representa isso quando cerca de 120 perdem a vida em acidentes rodoviários?

— Isso é inteiramente diferente.

— Para quem morre nas estradas é praticamente a mesma coisa. Para os outros, parentes e amigos, aí sim, há uma diferença, mas algo pelo menos me alegra nesse caso.

— Então, ouçamos o que tem a me dizer de novo sobre a natureza da alegria.

— *Inutile* ser tão sarcástico. O que me alegra é o fato de não haver nenhuma sombra de culpa afligindo algum inocente.

— Não será isso pior?

— Não, mil vezes não! Não há nada tão terrível como viver num clima de suspeição, notar que o vigiam e perceber que o afeto dos outros se transforma em medo. Nada é tão desagradável como suspeitar dos que lhe são mais íntimos e mais afeiçoados... É como um veneno, um miasma. Não, pelo menos esse envenenamento da vida de um inocente não o encontramos no caso ABC.

— Logo você estará desculpando esse homem! — observei mordazmente.

— Por que não? Ele pode se acreditar inteiramente justificado. E nós poderemos, talvez, terminar simpatizando com seu ponto de vista.

— Essa é demais, Poirot!

— Ah! Eu escandalizei você. Primeiro com a minha passividade... e agora com minhas opiniões.

Movi a cabeça sem replicar.

— Para mim, tanto faz — disse Poirot após breve pausa. — Eu tenho um plano que deve agradar a você, já que é ativo e não contemplativo. Também deve incluir um bocado de conversação e nenhuma reflexão praticamente.

Não gostei muito de seu tom de voz e indaguei, cauteloso.

— E qual é esse plano?

— Extrair dos amigos, parentes e criados das vítimas tudo que saibam.

— Suspeita então que estejam ocultando os fatos?

— Não de modo intencional. Mas contar alguma coisa que se conhece sempre implica numa *seleção*. Se eu lhe disser "me conte o que fez ontem", você talvez responda assim: "Eu me levantei às nove, fiz o desjejum meia hora depois, constante de ovos com presunto e café, fui ao meu clube, etc." E talvez não inclua outros detalhes, como: "Quebrei uma unha e tive que apará-la. Pedi água morna para me barbear. Derramei um pouco de café sobre a toalha da mesa, ou escovei meu chapéu antes de colocá-lo na cabeça." Não se pode numerar *tudo*. Portanto, faz-se uma *seleção*. Por ocasião de um crime as pessoas escolhem aquelas informações que *elas* pensam ser importantes. Mas com muita frequência se enganam.

— E como se faz para obter as informações certas?

— Simplesmente, como disse há pouco, por meio de uma conversa. Falando! Ao se comentar um certo incidente, ou discutir sobre certa pessoa ou determinado dia, com insistência, detalhes extras acabam por surgir.

— Que tipo de detalhes?

— Naturalmente aquilo que não conhecia ainda ou não esperava descobrir. Mas muito tempo já se passou até agora para que as coisas comuns reassumam seu valor. É um desafio a todas as leis matemáticas que em três casos de assassinato não haja nenhum simples fato ou declaração que traga alguma luz sobre o assunto. Algum incidente trivial, alguma observação corriqueira que *pudesse* servir como um indicador! É como procurar uma agulha num palheiro, claro... *mas que no palheiro há uma agulha*, disso estou convencido!

A questão me parecia muito vaga e confusa.

— Você não percebeu ainda? Então, sua intuição não é tão viva como a de uma simples e jovem camareira...

E Poirot me entregou uma carta. Estava escrita com clareza, com uma letra inclinada de escolar.

Caro sr.,

Espero que me perdoe por tomar a liberdade de lhe escrever esta carta. Estive pensando um bocado desde que aconteceram esses dois terríveis crimes, como o ocorrido com minha pobre tia. Parece que estamos todos no mesmo barco devido ao que aconteceu. Vi nos jornais o retrato daquela moça, a que é, eu penso, irmã da jovem assassinada em Bexhill. Me atrevi então a escrever para ela e lhe contar que viria para Londres a fim de arrumar emprego. Perguntei se poderia me encontrar com ela ou sua mãe, pois, como escrevi na carta, duas cabeças pensam melhor que uma só e eu não desejo recompensas, mas somente descobrir quem é essa criatura diabólica. E talvez nós chegássemos a um melhor resultado se pudéssemos dizer uma à outra o que sabemos sobre o assunto.

A jovem senhorita me respondeu muito gentilmente que levava uma vida muito ocupada trabalhando num escritório e morando numa pensão de estudantes, mas sugeria que eu escrevesse para o senhor. Disse também que estava pensando no mesmo que eu. Que nós tínhamos a mesma preocupação e devíamos permanecer em contato. Assim, estou escrevendo agora para o senhor, para lhe dizer que vim para Londres e para lhe dar meu endereço.

Esperando que não tenha vindo incomodá-lo com esta carta, respeitosamente,

Mary Drower

— Mary Drower é uma garota muito inteligente — disse Poirot.

E então tirou do bolso outra carta.

— Leia isso — disse.

Eram umas breves linhas de Franklin Clarke, explicando que viera a Londres e desejava conversar com Poirot no dia seguinte, caso fosse possível.

— Portanto, não se desespere, *mon ami*. A ação vai começar — disse Poirot.

18

Poirot faz um discurso

FRANKLIN CLARKE CHEGOU ÀS TRÊS DA TARDE seguinte e logo que entrou foi direto ao assunto sem mais rodeios.

— Monsieur Poirot, eu não estou satisfeito.
— Não, sr. Clarke?
— Não duvido que Crome seja um policial muito eficiente, mas, francamente, ele me irrita. Aquela sua pose de quem sabe tudo melhor que os outros! Eu disse algo sobre um plano que tinha em mente a este seu amigo quando estiveram em Churston, mas tive que pôr em ordem os negócios de meu falecido irmão e só agora vim a dispor de maior tempo. A minha opinião, Monsieur Poirot, é que não devemos ficar de braços cruzados deixando o tempo passar...
— Justamente o que Hastings dizia há pouco!
— ... mas ir em frente com a questão. Devemos estar prevenidos para o próximo crime.
— Então, acha que haverá um novo crime?
— Não pensa assim?
— Certamente.
— Muito bem, então. Espero ver tudo organizado.
— Pode me dizer com exatidão qual o seu plano?
— Proponho, sr. Poirot, uma espécie de grupo especial, agindo sob suas ordens e composto de amigos e parentes das pessoas assassinadas.
— *Une bonne idée.*
— Fico contente que a aprove. Associando nossos cérebros, sinto que conseguiremos algo. E também, quando o próximo aviso

chegar, estando de olhos bem-abertos, um de nós, não sei com certeza, poderá reconhecer alguém como tendo estado próximo da cena de um dos crimes precedentes.

— Percebo o alcance de sua ideia, e a aprovo, mas deve se lembrar, sr. Clark, de que parentes e amigos das outras vítimas não pertencem ao seu meio social. São todos empregados e embora gozem de umas curtas férias...

Flanklin Clarke atalhou:

— Bem-observado. Sou a única pessoa em condições ideais de disponibilidade para tal tarefa. Não que pessoalmente esteja muito abonado, mas meu irmão era rico e, com sua morte, naturalmente herdarei seus bens. E assim, proponho organizar o que chamaria de uma legião especial, com membros pagos por seus serviços, do mesmo modo como só ia acontecer com tais grupos, incluindo-se, naturalmente, gastos adicionais.

— E quem, a seu ver, deve formar essa legião?

— Estive pensando nisso. Para começar, escrevi à srta. Megan Barnard. Na verdade, a ideia em parte é dela. Sugiro minha própria pessoa, a srta. Barnard, o sr. Donald Fraser, que era noivo da mocinha assassinada. Há ainda uma sobrinha da velha senhora de Andover, cujo endereço a srta. Barnard conhece. Não acho que o marido da tal senhora de Andover nos sirva, soube que vive embriagado. Pensei também nos pais de Betty Barnard, mas são bastante idosos para o serviço ativo.

— Alguém mais?

— Bem... há a srta. Grey.

Clarke enrubesceu ligeiramente ao pronunciar o nome da moça.

— Oh, sim, a srta. Grey...

Ninguém conseguiria introduzir melhor uma nuança de ironia em breves palavras do que Poirot. Franklin Clarke parecia ter agora menos trinta anos. Sua expressão era a de um estudante encabulado.

— Sim. O senhor sabe, a srta. Grey trabalhou para meu tio nesses dois últimos anos. Ela conhece bem a região, as pessoas das redondezas e tudo mais. Eu estive ausente por um ano e meio.

Poirot compreendeu o embaraço do outro e mudou de assunto.

— Esteve no Oriente, não? Na China?

— Sim. Estava, por assim dizer, incumbido de comprar objetos raros para meu irmão.

— Deve ter sido uma atividade muito interessante. *Eh bien*, sr. Clarke, aprovo com louvor sua ideia. Estava dizendo a Hastings ainda ontem que era necessário um *rapprochement* das pessoas relacionadas com o caso. É preciso reunir e explorar lembranças, comparar observações e dados... *enfin*, conversar sobre coisas passadas, falar, falar e tornar a falar nas mesmas. De uma simples e inocente frase pode brotar um esclarecimento.

Alguns dias depois a "Legião Especial" se reunia no apartamento de Poirot.

Assim que todos se sentaram olhando com ar obediente para Poirot, que ocupava seu lugar, como o reitor de uma reunião do corpo docente, na cabeceira da mesa, eu os passei em revista, por assim dizer, confirmando ou retificando as primeiras impressões que deles fizera.

As três moças eram todas de chamar a atenção: a extraordinária beleza nórdica de Thora Grey; a intensidade do olhar da morena Megan Barnard, com a estranha imobilidade de seu rosto, típica de um pele-vermelha; Mary Drower, vestida de maneira simples mas correta, casaquinho preto e blusa escura, com seu rosto bonito e inteligente. Os dois homens, Franklin Clarke, cheio de corpo, bronzeado e falante, e Donald Fraser, retraído e quieto, contrastavam entre si de modo bem interessante.

Incapaz de resistir, naturalmente, ao apelo da ocasião, Poirot fez um pequeno discurso.

— Minhas senhoras e meus senhores, sabem por que estamos aqui reunidos. A polícia está fazendo o máximo que pode para encontrar a pista do criminoso. Eu também faço o mesmo, à minha maneira. Mas me parece que a reunião desses que têm um interesse pessoal no assunto, e também, devo dizer, um conhecimento pessoal das vítimas, poderá obter resultados que uma investigação feita por estranhos não conseguiria alcançar.

"Já tivemos três assassinatos: o de uma velha senhora, o de uma jovem, e um homem já idoso. Somente uma coisa mantém um elo entre essas três criaturas: o *fato de que foram mortas por uma mesma pessoa*. Isso quer dizer que *a mesma pessoa esteve presente em três localidades diferentes* e foi vista necessariamente por muita gente. Não é preciso dizer que se trata de um maníaco em estágio muito avançado de insanidade. Também é igualmente certo que sua aparência e comportamento não demonstrem tal fato. Essa pessoa — e embora eu venha a me referir a um indivíduo, lembrem-se de que pode ser homem ou mulher — tem todas as diabólicas artimanhas dos loucos. Ele conseguiu encobrir até agora todos os vestígios de sua passagem. A polícia tem certas indicações vagas, mas nada em que se basear para agir com eficiência.

"No entanto, deve haver certos indícios que não sejam vagos, mas exatos. Para exemplificar: esse assassino não chegou simplesmente a Bexhill à meia-noite e encontrou por acaso na praia uma jovem cujo nome começava por B..."

— Será necessário entrarmos em detalhes?

A voz de Donald Frase tinha uma entonação angustiada. A lembrança da noiva assassinada o levara àquele aparte.

— É preciso ir ao fundo de tudo, Monsieur — retrucou Poirot, voltando-se para o rapaz. — Está aqui agora, não para resguardar seus sentimentos se recusando a pensar em certos detalhes, mas para ir *au fond* da questão, mesmo que isso o aflija profundamente. Como eu dizia, não foi a *chance* que propiciou a ABC uma vítima ocasional na pessoa de Betty Barnard. Deve ter havido uma deliberada escolha de sua parte, e, por conseguinte, premeditação. Isso quer dizer que deve ter reconhecido *de antemão* o terreno. Sobre certos dados ele já se informara: a melhor hora para cometer o crime em Andover, a *mise-en-scène* em Bexhill, os hábitos de Sir Carmichael Clarke, em Churston. Pessoalmente, me recuso a admitir que *não* haja qualquer indicação, nem o mínimo indício, que possa ajudar-nos a determinar sua identidade.

"Pressuponho que um de vocês, ou talvez, *todos, saiba alguma coisa que pensa não saber*. Assim, mais cedo ou mais tarde, estando sempre em contato uns com os outros, algo deve vir à tona, adquirindo um significado até então não imaginado. É como um quebra-cabeças... cada um de vocês deve ter *um fragmento aparentemente sem sentido, que não encaixa, mas que, ao ser reunido a outros, mostrará uma parte definida da figura a ser armada.*

— Palavras apenas! — disse Megan Barnard.

— Como? — Poirot olhou-a interrogativamente.

— Refiro-me ao que está dizendo. Um simples jogo de palavras. Não quer dizer nada.

Ela se expressava com aquela mesma espécie de veemência quase desesperada que eu já associara à sua personalidade.

— Mademoiselle, palavras são somente a outra face das ideias.

— Bem, penso que isso faz sentido — disse Mary Drower. — Acho que é assim, senhorita. Muitas vezes, quando estamos falando sobre certas coisas é que parecemos ver com clareza o caminho a seguir. A mente se esclarece algumas vezes sem que saibamos como isso aconteceu. Conversar nos leva a um bocado de coisas de um modo ou de outro.

— Se "em boca fechada não entra mosca" é para conversarmos que estamos aqui — disse Franklin Clarke.

— Que tem a dizer, sr. Fraser?

— Particularmente, tenho dúvidas sobre a aplicação na prática do que disse, sr. Poirot.

— E que pensa disso, Thora? — perguntou Clarke.

— Acho que essa norma de falar sobre coisas passadas é sempre boa.

— Suponhamos — sugeriu Poirot — que vocês todos repassem suas próprias lembranças de horas antes do crime. Talvez possamos começar pelo sr. Clarke.

— Vejamos, na manhã do dia em que Car foi morto, eu saíra de barco para pescar. Apanhei oito cavalas. Estava ótimo lá na baía. Fiz a primeira refeição do dia em casa. Cozido de carneiro com batatas e cebolas, lembro-me. Tirei um cochilo na rede. Tomei chá. Escrevi algumas cartas, selei-as e fui de carro a Paignton para colocá-las no correio. Voltei para almoçar e, não me envergonho em dizê-lo, reli um livro de E. Nesbit que adorava quando garoto. Então, o telefone tocou...

— Não prossiga. Reflita agora, sr. Clarke, antes de me responder. Encontrou alguém em seu caminho para a praia pela manhã?

— Um bocado de gente.

— Pode se lembrar de alguma coisa sobre essas pessoas?

— Agora não me recordo de nada em especial.

— Tem certeza?

— Bem... vejamos... Me lembro de uma mulher incrivelmente gorda... usava um vestido de seda listrado, e fiquei pensando por que aqueles dois garotões estavam com ela... dois rapazes com um fox terrier na praia, jogando pedrinhas para ele apanhá-las... Oh, sim, havia uma garota com um cabelo cor de espiga de milho rangendo os dentes enquanto se banhava... é divertido ver como as coisas vão voltando, como uma foto sendo revelada.

— Tem aí um bom assunto. Agora avancemos um pouco... o senhor está no jardim, dirige-se ao correio...

— O jardineiro regava as plantas... A caminho do correio, vi alguém descer a estrada de bicicleta... uma mulher imprudente andando meio trôpega e gritando para um amigo. Acho que isso é tudo.

Poirot se voltou para Thora Grey.

— E a senhorita?

Thora Grey respondeu com a sua voz clara, explícita.

— Cuidei da correspondência com Sir Carmichael pela manhã e falei com a governanta. Escrevi cartas e costurei um pouco à tarde. Bem, é difícil lembrar. Foi um dia comum. Fui me deitar cedo.

Para minha surpresa, Poirot não lhe perguntou mais nada. Passou adiante.

— Srta. Barnard, pode se lembrar da última vez em que viu sua irmã?

— Talvez umas duas semanas antes de sua morte. Eu vim passar o fim de semana em casa. O tempo estava ótimo. Nós fomos a Hastings para um banho de piscina.

— E o que conversaram na maior parte do tempo?

— Eu expus a ela minha opinião sincera, dei-lhe conselhos — disse Megan.

— E que mais? Ela conversou sobre o quê?

A jovem franziu a testa, buscando se recordar.

— Ela me disse que estava dura... tinha comprado dois vestidos de verão e um chapéu. E falou um pouco de Don... Também disse que não gostava de Milly Higley, aquela colega dela da lanchonete, e rimos ao falar da tal Merrion que dirige o negócio... Não me lembro de nada mais...

— Sua irmã não mencionou nenhum homem (perdoe-me, sr. Fraser) com quem pretendesse se encontrar?

— Ela não me diria — retrucou Megan, secamente.

Poirot se voltou para o rapaz de cabelo ruivo e queixo anguloso.

— Sr. Fraser, desejo que traga suas lembranças de volta. Segundo já me disse, foi à lanchonete naquela infeliz noite. Sua intenção inicial fora esperar ali perto e depois seguir os passos de Betty Barnard, quando ela largasse o serviço. Pode se lembrar de alguém em quem tenha reparado enquanto esperava ali?

— Um bom número de pessoas passava pela calçada. Não posso me recordar de nenhuma.

— Desculpe, mas está tentando se lembrar? Por muito preocupada que a mente esteja, os olhos notam algo de modo mecânico, ininteligível, mas com precisão fotográfica...

O rapaz repetiu com obstinação:

— Não me recordo de ninguém.

Poirot suspirou e voltou sua atenção para Mary Drower.

— Suponho que recebia cartas de sua tia.

— Sim, senhor.

— Quando recebeu a última?

Mary pensou um instante antes de responder:

— Dois dias antes do crime, senhor.

— E o que ela dizia nessa carta?

— Que o velho diabo andara por ali e que ela o botara para fora da casa com o rabo entre as pernas (desculpe a expressão, senhor) e que me esperava na quarta-feira, meu dia de folga, e acrescentou que iríamos ao cinema. Era meu aniversário, senhor.

Algo, talvez a menção feita àquela modesta comemoração, trouxe repentinas lágrimas aos olhos de Mary. Ela conteve um soluço e então pediu desculpas por aquele instante de ternura.

— Me desculpe, senhor. Eu não queria agir como uma tola. Não é bom chorar. Só que ao pensar nela... e em mim... esperando cumprir o combinado... Isso me perturbou de certo modo, senhor.

— Sei exatamente como você se sente — disse Franklin Clarke. — São sempre essas pequenas coisas que nos comovem. Especialmente algo assim como um passeio ou um presente, tudo muito simples e natural. Me recordo agora de ter visto certa vez uma mulher vítima de atropelamento. Ela acabara de comprar sapatos novos. Eu a vi caída na rua, o embrulho aberto a seu lado com aquelas ridículas sandálias de salto alto assomando... e isso me impressionou. Pareciam tão patéticas.

Megan disse com uma súbita veemência:

— Isso é verdade... terrivelmente verdadeiro. A mesma coisa aconteceu depois que Betty... morreu. Mamãe tinha comprado algumas meias para lhe dar de presente, no dia exato em que ocorreu aquilo. Pobre mamãe, ela ficou arrasada. Eu a encontrei chorando e segurando as meias. Não parava de dizer: "Eu comprei essas meias para Betty... comprei para Betty... e ela nem pôde vê-las."

Sua voz tremeu um pouco. Ela se inclinou para a frente e olhou fixamente para Franklin Clarke. Um repentino elo de simpatia os uniu naquele momento, irmanados pelo mesmo problema.

— Eu sei — disse Clarke. — Sei muito bem o que é isso. Essas são justamente o tipo de coisas que se tornam terríveis de relembrar.

Donald Fraser se moveu na cadeira, pouco à vontade.

Thora Grey procurou amenizar o ambiente, perguntando:

— Não estamos tratando de traçar algum plano... para o futuro?

— Naturalmente. — Franklin Clarke recuperou sua desenvoltura habitual. — Penso que, quando for a hora, isto é, quando a quarta carta chegar, devemos unir nossas forças. Até lá, talvez cada um de nós deva tentar a sorte de maneira particular. Não sei se há algum ponto pelo qual o sr. Poirot pensa em encaminhar a investigação.

— Posso fazer algumas sugestões — disse Poirot.

— Ótimo. Eu as anotarei. — E tirou do bolso um pequeno bloco. — Pode começar, Monsieur Poirot. Sugestão A...

— Acho muito possível que a garçonete, Milly Higley, saiba de alguma coisa que nos seja útil.

— A: Milly Higley — disse Clarke, anotando no bloco.

— Sugiro duas maneiras de abordá-la. A srta. Barnard poderá tentar o que chamarei de contato ofensivo.

— Devo imaginar que acha isso próprio de meu estilo? — indagou Megan, secamente.

— Provoque uma discussão com a jovem, diga que sabe que ela antipatizava com sua irmã, e que esta lhe confidenciou tudo sobre a vida *dela*. Se não me engano, isso deverá provocar uma reação oportuna. Ela lhe dirá então o que pensava realmente sobre sua irmã. E alguma informação útil pode vir à tona.

— E o segundo método de aproximação?

— Posso sugerir, sr. Fraser, que se mostre aparentemente interessado na garota?

— Isso é necessário?

— Não, não é necessário. Trata-se apenas de uma possível forma de sondagem.

— Posso dar minha colaboração? — perguntou Franklin. — Eu tenho, ou tive uma boa experiência no assunto, sr. Poirot. Vejamos o que posso fazer junto a essa jovem.

—Você teve tempo e uma parte do mundo para se dedicar a isso — observou Thora Grey, com evidente mordacidade.

O rosto de Clarke se tornou um pouco pálido.

— Sim — disse então. — Eu tive.

— *Tout de mêrrie*, não acho que haja muito para você fazer ali no momento — disse Poirot. — Mademoiselle Grey agora é a mais indicada...

— Mas compreenda, sr. Poirot, eu saí de Devon de vez.

— Ah? Não entendo.

— A srta. Grey, muito gentilmente, resolveu ficar para me ajudar a pôr em ordem as coisas — disse Clarke. — Mas, naturalmente, ela prefere um emprego em Londres.

Poirot dirigiu a ambos um olhar penetrante. E perguntou:

— Como está a viúva de Sir Carmichael?

Pude notar certa palidez no sugestivo rosto de Thora Grey e o tom evasivo da resposta de Clarke.

— Nada bem. A propósito, sr. Poirot, será que ao passar por Devon não poderia visitá-la? Ela expressou desejo de vê-lo, como me disse antes que eu viesse a Londres. Claro que passa às vezes dois dias sem poder receber visitas, mas se quiser arriscar... despesas de viagem por minha conta, obviamente.

— Certamente que irei, sr. Clarke. Digamos, depois de amanhã, está bem?

— Ótimo. Avisarei a enfermeira para preparar o terreno.

— Quanto a você, minha jovem — disse Poirot, voltando-se para Mary. — Acho que poderá fazer um bom trabalho em Andover. Tente junto às crianças.

— Crianças...?

— Sim. Não costumam conversar de imediato com estranhos. Mas você é bem-conhecida na rua onde sua tia morou. Há um bom número de crianças brincando por ali. Podem ter notado quem entrava e saía da loja de sua tia.

— E quanto a srta. Grey e a mim? — perguntou Clarke. — Isto é, se eu não for "destacado" para Bexhill.

— Sr. Poirot — disse Thora Grey —, qual era o endereço postal da terceira carta?

— Putney, Mademoiselle.

— S.W. 15, Putney, é o correto, não? — murmurou ela, pensativa.

— Chega a surprender que nos jornais tenha saído impresso corretamente.

— Tal detalhe parece indicar que ABC seja um londrino.

— Em face disso, sim.

— Alguém deve ser capaz de detê-lo — disse Clarke. — Monsieur Poirot, o que aconteceria se eu fizesse publicar um anúncio mais ou menos assim: *ABC Urgente. H.P. está na sua pista. Uma nota de cem pelo meu silêncio. X.Y.Z.* O texto está um pouco rudimentar, é claro, mas serve para lhe dar uma ideia. Poderia dar certo.

— Sim, é uma possibilidade.

— Talvez o induzisse a se mostrar e me procurar.

— Acho que é muito perigoso e tolo — disse Thora Grey, meio ríspida.

— Que acha disso, sr. Poirot?

— Não valerá a pena arriscar. Penso que o ABC é bastante esperto para responder a esse anúncio. — Poirot sorriu de leve ao concluir: — Sr. Clarke, noto que ainda é, digo isso sem intenção de ofendê-lo, um menino no fundo.

Franklin Clarke o olhou meio envergonhado.

— Bem — disse a seguir, consultando seu bloco de anotações. — Já temos algo para começar: A. — A srta. Barnard e Milly Higley; B. — Sr. Fraser e srta. Higley; C. — Crianças de Andover.;

e D. — Anúncio. Nada daí me parece muito satisfatório, mas já teremos algo para fazer enquanto esperamos.

Ele se despediu e poucos minutos depois o encontro estava terminado.

19

Pelos caminhos da Suécia

POIROT VOLTOU A SE SENTAR NA POLTONA e se pôs a assoviar baixinho uma toada.

— Uma pena que ela seja tão inteligente.
— Quem?
— Megan Barnard. Mademoiselle Megan. "Apenas palavras", foi o que ela me disse. Num instante, percebeu que aquilo que eu estava dizendo nada significava. Todos os demais se deixaram levar por elas.
— Pensei que era bem plausível.
— Plausível, sim. Foi justamente isso que ela percebeu.
— Então, você não quis dizer nada com suas palavras?
— O que eu disse poderia ser resumido numa frase curta. Em vez disso, eu me repeti *ad lib* sem que ninguém a não ser Mademoiselle Megan se apercebesse...
— Mas por que você procedeu assim?
— *Eh bien...* para tomar pé na situação! Infundi em cada um dos aqui reunidos a impressão de que havia um trabalho a ser feito! Iniciar, digamos assim, as conversações!
— E não acha que alguma dessas sugestões que apresentou conduza a algum resultado?
— Oh, isso é sempre possível.

Poirot conteve um sorriso ao observar:

— No meio da tragédia partimos para a comédia. Não é mesmo?
— Que *pretende* dizer com isso?

— Trata-se do drama humano, Hastings! Reflita um instante. Aqui estão três cenas com seres humanos relacionados por uma tragédia comum. Imediatamente um segundo drama se inicia, *tout à fait à part*. Lembra-se do meu primeiro caso na Inglaterra? Oh, já se vão tantos anos... Eu mantive unidas duas pessoas que se amavam, graças ao expediente muito simples de fazer prender uma delas por assassinato! Nada menos do que isso! No meio da tragédia nós permanecemos vivos, Hastings. E o crime, como observo com frequência, é um grande fabricante de casamentos.

— Essa não, Poirot — exclamei surpreso. — Estou certo de que nenhuma daquelas pessoas que aqui estiveram há pouco pensavam em outra coisa a não ser...

— Oh, meu caro amigo. E que me diz de você?

— Eu?

— *Mais oui*. Mal eles se foram, você não voltou da porta sussurrando uma melodia?

— Qualquer um pode fazer tal coisa sem ser chamado de insensível...

— Certamente, mas aquela melodia me revelou seus pensamentos.

— É mesmo?

— Sim. Assoviar para si mesmo uma melodia é exatamente perigoso. Delata o que se passa em seu subconsciente. A toada que você trauteava, data, eu creio, do tempo da guerra. *Comme ça* — e Poirot cantou com uma abominável voz de falsete: "Em certa hora eu amo uma morena / Em outra meu amor é uma loura (Que veio do paraíso pelos caminhos da Suécia)." Poderia haver algo mais revelador? *Mais je crois que la blonde l'emporte sur la brunette!*

— Francamente, Poirot — protestei, meio ruborizado.

— *C'est tout naturel*. Não notou como Franklin Clarke simpatizou logo com Mademoiselle Megan? Como se inclinou para fitá-la? E não percebeu também o aborrecimento que tal atitude causou à Mademoiselle Thora Grey? E quanto ao sr. Fraser...

— Poirot — disse então. — Intimamente você é um sentimental incurável.

— Eis aí a última coisa de que me poderiam qualificar. Você é que é um sentimental, Hastings.

Eu ia rebater essa observação com veemência, quando abriram a porta.

E para minha surpresa ali estava Thora Grey.

— Perdoe se voltei para incomodá-los — disse a moça, muito desenvolta. — Mas acontece que há uma coisa que gostaria de lhe dizer, sr. Poirot.

— Pois não, Mademoiselle. Sente-se, por favor.

Ela se sentou e hesitou um pouco como se estivesse escolhendo as palavras adequadas.

— É o seguinte, sr. Poirot. Bondosamente, o sr. Clarke deu a entender ao senhor há pouco que eu teria deixado a mansão Combeside por vontade própria. Ele é uma pessoa muito amável e leal. Mas, na realidade, não foi assim. Estava resolvida a permanecer ali, pois é muito o que precisa ser feito em relação às coleções de arte de Sir Carmichael. Foi Lady Clarke quem quis que eu me demitisse! Posso dar um desconto para tal atitude. Afinal, ela é uma mulher muito doente, e sua mente está de algum modo perturbada pelas drogas que tem de tomar. Isso a torna desconfiada e fantasiosa. Passou a antipatizar comigo de maneira inexplicável e insistiu em que deixasse a sua casa.

Não pude deixar de apreciar a coragem da jovem. Ela não tentara camuflar os fatos, como muitos teriam vontade de fazer, fora direto ao ponto com uma admirável sinceridade. E me senti cheio de admiração e simpatia por ela.

— Acho esplêndido que tenha voltado para nos contar isso.

— É sempre melhor ficar com a verdade — disse Thora, sorrindo de leve para mim. — Não desejo me esconder atrás do cavalheirismo do sr. Clarke. Ele é realmente um cavalheiro.

Havia um toque de emoção em suas palavras. Era evidente sua grande admiração por Franklin Clarke.

— Foi muito sincera, Mademoiselle — disse Poirot.

— Para mim foi um golpe desagradável — disse Thora, pesarosa. — Não imaginava que Lady Clarke antipatizasse tanto comigo. Na verdade, sempre pensei que me apreciasse e ao meu trabalho ali. — Sua expressão agora denotava certa mágoa. — Quanto mais se vive, mais se aprende.

Thora se levantou, dizendo:

— Bem, era o que eu tinha a dizer. Até logo, senhores.

Eu a acompanhei até a escada.

— Isso é que eu chamaria de espírito esportivo — disse quando retornei à sala. — Tem coragem, essa garota.

— E calculismo.

— Que quer dizer com essa expressão agora?

— Apenas que ela tem o dom de antever o futuro.

Olhei para meu amigo com ar de dúvida e acabei dizendo:

— Ela é realmente uma jovem adorável.

— E usa roupas muito adoráveis. Aquele crepe marroquino e a gola de pele de raposa prateada são o *dernier cri*.

— Nenhum detalhe lhe escapa, Poirot. Nunca noto o que as pessoas usam para se enfeitar.

— Devia ingressar então numa colônia nudista.

Já estava prestes a replicar com alguma observação contundente, quando ele disse, mudando subitamente de assunto:

— Como sabe, Hastings, não consigo afastar da minha mente a impressão de que, em nossa conversa dessa tarde, alguma coisa significativa foi dita. É estranho... não posso definir exatamente o que era... Apenas uma impressão que surgiu em minha mente... *Isso me lembra alguma coisa que já tinha ouvido, visto ou notado...*

— Algo ocorrido em Churston?

— Não, lá não... Foi antes... Não importa, logo essa impressão voltará.

Ele me olhou (talvez não o estivesse ajudando devidamente), riu e recomeçou a sussurrar aquela melodia.

— Ela é um anjo, hein? Vinda do Eden, pelos caminhos da Suécia...
— Poirot! — exclamei. —Vá para o inferno!

20

Lady Clarke

UMA MELANCOLIA PROFUNDA, quase palpável, parecia envolver a mansão Combeside quando a vimos pela segunda vez. Essa atmosfera era devida em parte, talvez, ao tempo; era um dia úmido de setembro, com algo outonal no ar, e, em outra parte, sem dúvida, pelo aspecto de casa por alugar que a residência dos Clarke transmitia agora. As janelas da parte de baixo estavam fechadas, e a pequena sala onde entramos se mostrava sombria e abafada.

Uma enfermeira com ar solícito e competente se aproximou, puxando para baixo as mangas engomadas de seu uniforme de hospital.

— Sr. Poirot? — foi logo dizendo. — Sou a enfermeira Capstick. Recebi um bilhete do sr. Clarke me avisando da sua visita.

Poirot indagou sobre o estado de saúde de Lady Clarke.

— Considerando as circunstâncias, não está realmente mal.

Pela expressão "considerando as circunstâncias", presumi que a viúva de Sir Carmichael havia sido desenganada pelos médicos.

— Não se pode esperar grandes melhoras, naturalmente, mas alguns novos medicamentos têm tornado as coisas menos penosas para ela. O dr. Logan está muito satisfeito com seu estado atual.

— Mas é certo, ou não, que ela nunca poderá se recuperar?

— Oh, nós nunca *dizemos* isso na realidade — retrucou a enfermeira, um pouco chocada com aquela observação muito realista.

— Imagino que a morte do marido tenha sido um golpe terrível para ela.

— Bem, sr. Poirot, deve saber que o choque não poderia ser tão grande como ocorreria com uma pessoa em plena posse de sua lucidez e condições de saúde. Diria que, no estado em que se encontra, Lady Clarke sente as coisas de maneira *amortecida*.

— Desculpe minha pergunta, mas ela amava muito o marido e era correspondida?

— Oh, sim, eles formavam um casal muito feliz. Pobre homem, vivia tenso e preocupado com ela. É sempre pior para um médico, o senhor sabe. Eles não podem alimentar falsas esperanças. Acho que ele se aflige demais para poder começar algo relativo a suas coleções.

— Começar? Mas não devia ter muito que fazer.

— Todo mundo costuma fazer alguma coisa, não? E Sir Carmichael tinha a sua coleção de arte para cuidar. Um hobby é um grande derivativo para um homem. Ele costumava orientar as compras ocasionalmente, e, então, junto com a srta. Grey, se ocupava ultimamente em recatalogar e inovar a apresentação das peças de seu museu.

— Oh, sim... E a srta. Grey? Foi despedida realmente?

— Sim... Sinto muito o que houve, mas as mulheres têm certos caprichos quando não estão bem de saúde. E não adianta discutir com elas. É melhor atendê-las. A srta. Grey ficou muito magoada com o acontecido.

— Lady Clarke sempre antipatizou com ela?

— Não, *antipatizar*, a bem dizer, não. Para ser franca, acho que no início até que ela gostava da srta. Grey. Mas... isso é outro assunto e não devo reter o senhor aqui com mexericos. Minha paciente na certa está imaginando por que nos demoramos aqui.

A enfermeira nos guiou até um quarto no andar de cima. O que antes fora um dormitório agora se transformara numa bem-arrumada sala de estar.

Lady Clarke estava sentada numa cadeira de braços perto da janela. Sensivelmente magra, seu rosto tinha uma tonalidade quase cinza, com o olhar afligido de quem suporta dores acentuadas. Ela tinha uma expressão meio distante, um pouco sonhadora, e notei que suas pupilas eram como pontas de alfinete.

— Eis aqui o sr. Poirot, a quem a senhora desejava tanto ver — disse a enfermeira Capstick, com sua voz cheia, animada.

— Oh, sim, o sr. Poirot — disse Lady Clarke em tom vago. Ela estendeu sua mão.

— Este é meu amigo, o capitão Hastings, Lady Clarke — disse Poirot.

— Como vai o senhor? Foi bom que os senhores viessem.

Sentamos assim que ela nos convidou com um gesto lento. Fez-se silêncio. Lady Clarke parecia ter mergulhado num sonho. Depois, com algum esforço, ela despertou de seu torpor, dizendo:

—Vieram para conversar sobre Car, não é? Sobre a morte de Car. Oh, sim.

Suspirou, mas ainda de maneira absorta, balançando a cabeça.

— Nunca sabemos para onde a roda gira... Estava segura de que seria a primeira a ir... — Fez uma breve pausa antes de prosseguir: — Car era muito forte para a idade que tinha. Nunca o vi doente. Tinha quase sessenta anos, mas aparentava uns cinquenta... Sim, era muito forte...

Ela imergiu de novo em seu sonho. Poirot, que estava bem a par dos efeitos de certas drogas e de como elas dão a quem as toma a impressão de que o tempo é abolido, nada disse.

Lady Clarke voltou a falar de repente:

— Sim, foi bom que o senhor viesse. Falei com Franklin e ele me disse que não se esqueceria de falar com o senhor. Espero que Franklin não esteja fazendo alguma tolice... é tão fácil de ser levado, apesar de já ter dado tantas voltas pelo mundo. Homens são assim mesmo... Continuam meninos no fundo... Especialmente o Franklin.

— Ele tem um temperamento impulsivo — disse Poirot.

— Sim, sim... E é muito cavalheiresco. Os homens costumam ser tão tolos a esse respeito. Mesmo o Car...

Sua voz sumiu de repente. Lady Clarke moveu a cabeça com uma impaciência febril.

— Tudo se torna tão confuso... Nosso corpo é um transtorno, sr. Poirot, especialmente quando se torna predominante. Não tomamos consciência de mais nada, quer a dor seja adiada ou não, nada mais parece ter importância.

— Entendo, Lady Clarke. É uma das tragédias dessa vida.

— Isso me torna tão confusa. Nem consigo me lembrar do que pretendia lhe dizer.

— Não seria algo sobre a morte de seu marido?

— A morte de Car? Sim, talvez. Essa criatura, louca e infeliz, me refiro ao assassino... É o que acontece com toda essa agitação e a pressa dos dias de hoje, as pessoas não podem parar. Sempre senti pena dos doentes mentais... com a cabeça cheia de ideias estranhas. E depois, tendo de ser isolados num hospício, deve ser terrível. Mas o que mais se poderia fazer? Se andam por aí matando as pessoas... — Balançou a cabeça, sinceramente condoída. — Ainda não o pegaram? — perguntou por fim.

— Não, ainda não.

— Ele deve ter rondado por aqui naquele dia.

— Há muitos turistas aqui agora, Lady Clarke. É a época das férias.

— Sim, já me esquecera... Mas ficam pelas praias, não se aproximam dessa casa.

— Nenhum estranho veio aqui naquele dia.

— Quem lhe disse isso? — perguntou Lady Clarke, com súbita energia.

Poirot deu a impressão de estar surpreso, retrucando:

— Os criados e a srta. Grey.

Lady Clarke exclamou com toda clareza:

— Essa moça é uma mentirosa!

Quase saltei da cadeira, mas Poirot me conteve com um olhar rápido.

Lady Clarke prosseguiu, falando agora com especial exaltação.

— Eu não gosto dela. Aliás, nunca gostei. Car pensava como todo mundo sobre essa garota. Costumava dizer que ela era órfã e estava sozinha nessa vida. Mas, pergunto, que há de errado em ser órfã? Algumas vezes, é até uma atenuante, uma bênção. Você poderia ter tido um pai inútil e uma mãe que adorasse a bebida e aí teria do que se lamentar. Ele dizia que ela era muito corajosa e muito eficiente em seu trabalho. Pois eu digo que ela apenas cumpria sua obrigação! Não sei onde está toda essa coragem!

— Agora trate de se acalmar, querida — disse a enfermeira Capstick. — Não deve se exaltar. Não queremos que se canse.

— Tratei de mandá-la embora! Franklin teve a infeliz ideia de dizer que ela seria uma boa companhia para mim. Grande conforto eu iria ter! Retruquei que quanto mais cedo ela saísse da minha frente, melhor seria. Franklin é um tolo! Não queria vê-lo envolvido com ela! Ele é menino grande, sem juízo! "Darei três meses de salário a essa moça, se você preferir assim", eu lhe disse, "mas que ela vá embora. Não a quero nem mais um dia nessa casa." Há uma vantagem em estarmos doentes: os homens não discutem conosco. Assim ele fez o que eu disse e ela se foi. Copio uma mártir, eu imagino... com muita resignação e bravura!

— Agora, minha querida, não se exalte mais. É ruim para você.

Lady Clarke fez um gesto, afastando a enfermeira.

— Você age como uma tola com ela, igualzinha aos outros.

— Lady Clarke, por favor, não devia falar assim. Acho que a srta. Grey é uma moça muito gentil, com um ar tão romântico, como se fosse uma personagem de novela.

— Não tenho mais paciência para ouvir as tolices de vocês — murmurou Lady Clarke, já cansada.

— Bem, ela agora já não está mais aqui, minha querida. Foi embora.

Lady Clarke balançou a cabeça com febril impaciência, mas não retrucou.

Então, Poirot perguntou:

— Por que a senhora disse que a srta. Grey era uma mentirosa?

— Porque é. Ela lhe falou que nenhum estranho esteve nessa casa, certo?

— Sim.

— Pois bem. Acontece que eu a vi, com meus próprios olhos, daqui dessa janela, conversando com um desconhecido na porta da frente.

— Quando foi isso?

— Na manhã do dia em que Car morreu, por volta das onze horas.

— E qual era a aparência desse homem?

— Um tipo comum. Nada de especial.

— Um simples curioso ou um vendedor?

— Não era um vendedor. Uma pessoa desalinhada. Não me lembro direito.

Contraiu os lábios num rictus de dor e disse com voz fraca:

— Por favor, devem sair agora, estou um pouco cansada... Enfermeira...

Nós obedecemos e apresentamos nossas despedidas à enferma.

— Eis uma história muito interessante — disse a Poirot quando já voltávamos a Londres. — Falo da srta. Grey e do tal desconhecido.

— Viu só, Hastings? É como lhe digo: *há sempre alguma coisa a ser descoberta.*

— Por que a garota mentiu para nós ao dizer que não vira nenhum estranho na casa?

— Posso indicar sete motivos distintos... um deles extremamente comum.

— É uma adivinhação?

— Digamos que seja um teste para explorar sua ingenuidade. Mas não há razão alguma para quebrarmos a cabeça com essa história. A solução mais fácil é perguntar diretamente a ela.

— E suponhamos que nos diga outra mentira.

— Aí então, seria algo realmente interessante, e muito sugestivo.

— É monstruoso pensar que uma garota como ela possa estar mancomunada com um louco.

— Justamente por isso é que não faço tal suposição.

Estive pensando um instante e, por fim, disse, soltando um suspiro:

— Uma jovem bonita sempre tem problemas desse tipo.

— *Du tout*. Tire essa ideia da cabeça.

— Mas é verdade — insisti —, cada um à sua maneira fica contra ela simplesmente porque é bonita.

— Está dizendo *bêtises*, meu amigo. Quem a seu ver antipatizava com ela em Combeside? Sir Carmichael? Franklin? A enfermeira Capstick?

— Lady Clarke arrasou com ela, você viu.

— *Mon ami*, você se mostra muito benevolente com mulheres jovens e belas. Quanto a mim, me compadeço das velhas senhoras enfermas. Pode ser que a única a ver claro nesse assunto seja Lady Clarke, e que seu falecido esposo, a enfermeira Capstick, o sr. Franklin Clarke... e o capitão Hastings, inclusive, estejam tão cegos como morcegos.

— Está de má vontade com essa moça, Poirot.

Para minha surpresa, eu o vi piscar um olho subitamente.

— Talvez seja porque goste de vê-lo montar em seu vistoso corcel de cavaleiro romântico, Hastings. Você age sempre como um cavaleiro andante, sempre pronto a vir em socorro de donzelas em apuros... Donzelas bonitas, *bien entendu*.

— Está sendo ridículo, Poirot — retruquei, mas sem poder conter o riso.

— Bem, não se vive só de tragédia, meu amigo. Interesso-me cada vez mais pelos incidentes muito humanos que surgem no decorrer desse caso. Temos diante de nós três dramas da vida familiar. Primeiro o de Andover: a vida trágica da sra. Ascher, sua luta cotidiana, tendo que suportar e amparar o marido, a devoção de sua sobrinha. Por si só já daria uma novela. Depois você tem Bexhill, um casal feliz, condescendente, as duas irmãs tão diferentes uma da outra, a pequena fútil, meio tola e bonitinha, e a decidida e séria Megan, com sua lucidez e sua indomável paixão pela verdade. E o outro personagem, o jovem escocês tímido, com seu ciúme apaixonado e sua devoção pela mocinha morta. Finalmente, temos a família de Churston: a esposa desenganada, e o marido absorvido em sua coleção de arte chinesa, mas com uma crescente ternura e simpatia pela bela jovem que o ajuda tão desinteressadamente... e por fim o irmão ainda moço, vigoroso, atraente, amável, com um charme romântico resultante de suas longas viagens pelo Oriente.

"Observei, Hastings, que no decurso normal dos acontecimentos *esses três dramas distintos nunca deveriam se relacionar*. Deveriam seguir em seu curso sem influências recíprocas. As permutações e combinações da vida nunca deixaram de me fascinar, Hastings."

— Chegamos a Paddington — foi só o que eu soube dizer.

Era hora, pensei, de voltar à realidade exterior e prosaica.

Ao chegarmos ao apartamento de Whitehaven fomos informados de que um cavalheiro estava à espera de Poirot.

Calculei que se tratasse de Franklin Clarke, ou talvez Japp, mas me surpreendi ao ver ali Donald Fraser.

Ele parecia muito confuso e sua dificuldade de expressão se tornava mais evidente do que nunca.

Poirot não o apressou a revelar o motivo da visita, convidando-o em vez disso a provar um sanduíche e um copo de vinho. Enquanto isso, monopolizou a conversa, explicando aonde tínhamos ido, referindo-se com simpatia a compreensão humana à viúva enferma.

Assim que terminamos com os sanduíches e bebemos uns goles de vinho, Poirot imprimiu um toque pessoal à conversa.

—Veio de Bexhill, sr. Fraser?

— Sim.

— Teve algum sucesso com Milly Higley?

— Milly Higley? — Fraser repetiu o nome da moça mais uma vez como se nunca o tivesse ouvido. — Oh, sim, aquela garota! Não, não adiantei nada nesse sentido. Isso é...

Fez uma brusca interrupção e entrelaçou os dedos nervosamente.

— Nem sei por que vim ver o senhor — disse num desabafo.
— Mas eu sei — retrucou Poirot.
— Acho que não. Como poderia saber?
— Veio aqui porque há alguma coisa que precisa contar a alguém. Você veio ao endereço certo. Sou a pessoa indicada. Pode falar.

A entonação firme e a autossegurança de Poirot foram bem-sucedidas. Fraser o olhou com um ar inusitado de obediência de agradecimento.

— Pensa assim, então?
— *Parbleu*, tenho certeza disso.
— Sr. Poirot, conhece alguma coisa sobre sonhos?

Era a última coisa que eu esperava ouvir do nosso visitante.

No entanto, Poirot não parecia surpreso com a inesperada pergunta.

— Conheço — replicou. — Tem tido sonhos?...
— Sim. Sei que o senhor poderá dizer que é natural eu sonhar com... ela. Mas não se trata de um sonho comum.
— Ah, não?
— Venho tendo o mesmo sonho há três noites seguidas, senhor... Penso até que estou ficando maluco...
— Conte-nos seu sonho.

Fraser estava muito pálido. Seus olhos pareciam se dilatar. Para ser mais claro, *dava a impressão* de estar louco mesmo.

— É sempre a mesma coisa. Estou na praia, procurando pela Betty. Ela está perdida, somente perdida, compreende? E a estou procurando. Eu quero lhe dar o seu cinto. Com ele em minha mão, vou andando. E então...
— Sim?
— O sonho se modifica... Não estou procurando nada mais. Ela está ali, bem na minha frente... sentada na areia. Não me vê chegar... Ela... não, eu não posso...
— Prossiga.

A voz de Poirot era autoritária, agora, firme.

— Eu me acerco dela por trás... mas sem que me ouça... Passo o cinto em volta de seu pescoço e puxo... puxo...

O tom angustiado da voz de Donald era impressionante... Crispei as mãos em torno dos braços da cadeira... A cena descrita parecia real.

— Ela fica sufocada... e morre. Eu a estrangulei. E então sua cabeça pende para trás inerte e vejo seu rosto... o de *Megan*, não o de Betty!

Fraser se reclinou na poltrona, muito pálido e trêmulo. Poirot encheu outro copo de vinho e entregou ao rapaz.

— Qual o significado desse sonho, sr. Poirot? Por que isso acontece comigo? E há três noites?...

— Beba o vinho — ordenou Poirot.

O rapaz obedeceu e então perguntou num tom mais calmo:

— O que significa tudo isso? Eu... eu não quis matá-la, quis?

Não sei qual foi a resposta de Poirot, pois naquele exato momento ouvi as batidas do carteiro na porta e instintivamente deixei a sala.

A carta que acabara de chegar afugentou todo meu interesse pelas estranhas revelações de Donald Fraser.

Voltei quase correndo à sala, exclamando:

— Poirot! Ela chegou. A quarta!

Ele saltou da cadeira e tomou a carta de minhas mãos. Apanhou seu corta-papel e abriu o envelope que caiu sobre a mesa.

E nós três lemos juntos a carta.

Não descobriu nada ainda? Que vergonha! Que fiasco! Que estão fazendo você e a polícia? Bem, bem, isso não é divertido? E aonde iremos nós agora buscar o mel?

Pobre sr. Poirot. Lamento muito a sua sorte.

Mas, se de início não foi feliz, tente, tente de novo.

Temos ainda um longo caminho pela frente.

Talvez Tipperary? Não, isso virá depois. Na letra T.

O próximo e pequeno incidente terá lugar em Doncaster em 11 de setembro.

Até a vista,

ABC

21

Descrição de um assassino

FOI NAQUELE MOMENTO QUE, na minha opinião, aquilo que Poirot denominava elemento humano começou a desaparecer de cena novamente. Como se a nossa mente, sendo incapaz de suportar a visão continuada da tragédia e do horror, nos levasse até então a um intervalo preenchido por interesses humanos normais.

Tínhamos, uma vez por todas, sentido a impossibilidade de fazer algo até que a quarta mensagem viesse revelar o local escolhido para o crime D. E aquele clima de intervalo tinha ocasionado um relaxamento da tensão anterior.

Mas agora, com aquelas palavras impressas se destacando no papel branco e apergaminhado, a caçada iria recomeçar.

O inspetor Crome veio direto da Yard e, enquanto estava no apartamento, Franklin Clarke e Megan Barnard apareceram.

A jovem nos explicou que também chegara há pouco de Bexhill.

— Eu queria perguntar algo ao sr. Clarke.

Megan parecia particularmente ansiosa em justificar e esclarecer sua atitude. Percebi esse detalhe, mas sem ligar muita importância ao mesmo. Naturalmente, a carta ocupava meus pensamentos excluindo tudo mais.

Penso que Crome não gostou muito de ver ali vários participantes do caso. Assumiu o ar de quem cumpre apenas uma incumbência oficial e meio sigilosa.

— Levarei isso comigo, sr. Poirot. Se deseja tirar uma cópia...

— Não, não é necessário.

— Quais são seus planos, inspetor? — indagou Clarke.
— São todos muito simples, sr. Clarke.
— Dessa vez nós o agarramos — disse Clarke. — Saiba, senhor inspetor, que nós formamos uma associação para cuidar do assunto. Uma legião das partes interessadas nesse caso ABC.
O inspetor Crome retrucou no seu melhor estilo:
— Oh, sim?
— Pelo jeito não aprecia muito os amadores, não é, inspetor?
— Dificilmente terá os mesmos recursos a seu dispor, não pensa assim, sr. Clarke?
— Nós contamos com um interesse pessoal em resolver o caso, e isso já é alguma coisa.
— Oh, sim?
— Suponho que a sua tarefa também não está sendo nada fácil, inspetor. Fico a pensar em que novos apuros o nosso ABC vai envolvê-lo.

Observei então que Crome podia, por vezes, se mostrar loquaz quando outros recursos não davam resultado.

— Dessa vez, não creio que o povo tenha muito o que criticar quanto às nossas providências — disse Crome. — Esse idiota nos deu um aviso bem-antecipado. O dia 11 cai numa quarta-feira, na próxima semana. Isso nos dá bastante tempo para uma campanha de alerta na imprensa. Doncaster toda será posta de sobreaviso. Toda pessoa cujo nome comece por D ficará de olhos bem-abertos, o que é muito bom. Também destacaremos agentes para policiarem a cidade em larga escala. Essa ajuda já foi providenciada, com a anuência de todos os delegados distritais da Inglaterra. Todos em Doncaster, policiais e civis, procurarão localizar esse homem e, com uma dose razoável de sorte, deveremos agarrá-lo!

Clarke disse calmamente:
— Nota-se logo que não é um esportista, inspetor.
Crome o olhou intrigado.
— Que quer dizer com isso, sr. Clarke?

— Meu caro, então ignora que na *próxima quarta-feira será corrido em Doncaster o Prêmio St. Leger*?

O inspetor ficou de queixo caído. Pela primeira vez na vida não disse seu habitual "Oh, sim?". Em vez disso, murmurou:

— É verdade. Sim, isso complica as coisas...

— ABC não é nenhum idiota, ainda que *seja* um louco.

Ficamos em silêncio por instantes, analisando mentalmente a situação. A multidão de aficionados no hipódromo, sabendo-se da paixão dos ingleses pelo seu esporte favorito, as complicações daí decorrentes...

— *C'est ingénieux. Tout de même c'est bien imaginé, ça.* — murmurou Poirot.

— Na minha opinião — disse Clarke —, o assassinato deverá ocorrer no hipódromo... talvez na ocasião em que o páreo principal esteja sendo disputado.

Por um momento, seu temperamento de esportista se deliciou com tal pensamento...

O inspetor Crome se levantou, guardando a carta no bolso.

— O S. Leger é mesmo uma complicação — assentiu. — É lamentável.

Depois que Crome saiu, ouvimos vozes no corredor. Um minuto depois, Thora Grey entrava.

A jovem disse meio exaltada:

— O inspetor me falou agora que chegou outra carta. Onde será dessa vez?

O dia estava chuvoso. Thora Grey estava com um casaquinho e saia pretos e um abrigo de peles. Um chapeuzinho negro caía um pouco de lado sobre seus cabelos louros.

Ela se dirigira a Franklin Clarke e, pondo a mão em seu braço, aguardou a resposta.

— Será em Doncaster, e no dia do Prêmio S. Leger.

Passamos a discutir o assunto. Era óbvio que todos nós pretendíamos estar presentes em Doncaster, mas a corrida de cavalos complicava sem dúvida os planos que havíamos traçado de antemão.

Eu me senti desencorajador. Afinal, o que um pequeno grupo de seis pessoas poderia fazer, por mais forte que fosse seu interesse pessoal no assunto? Inúmeros policiais estavam atentos, em estado de alerta, vigiando todos os locais onde possivelmente o criminoso agiria. Assim, o que mais seis pares de olhos poderiam captar?

Como se respondesse a meus pensamentos, Poirot observou, numa entonação que parecia a de um professor ou um sacerdote:

— *Mes enfants*, nós não podemos debandar agora. Temos de analisar o assunto com método e ordenar nossos pensamentos. Devemos olhar para dentro e não apenas para fora em busca da verdade. Precisamos indagar a nós mesmos, cada um do nosso grupo: "O que *eu* sei sobre o assassino?". E assim devemos obter um retrato bem aproximado do homem que estamos procurando.

— Nada sabemos a seu respeito — disse Thora Grey, com ar desanimado.

— Não, Mademoiselle. Isso não é verdade. Cada um de nós aqui conhece algo sobre ele... *desde que saibamos discenir o que conhecemos. Estou convencido de que a fonte está aí,* bastando somente apreendê-la.

Clarke moveu a cabeça, retrucando:

— Não sabemos nada, se ele é velho ou moço, bonito ou feio! Nenhum de nós jamais o viu ou falou com ele! E já analisamos tudo que poderíamos saber inúmeras vezes.

— Tudo não! A srta. Grey, por exemplo, nos disse que não vira nem falara com nenhum estranho no dia em que Sir Carmichael foi assassinado.

— E é verdade — assentiu Thora Grey.

— É mesmo? Pois Lady Clarke nos contou, Mademoiselle, ter visto da janela de seu quarto a senhorita parada à porta da frente da casa conversando com um homem.

— Ela *me* viu falando com um estranho? — A jovem parecia realmente surpresa.

Seguramente, pensei então, aquele olhar tão límpido só poderia expressar a verdade.

Thora balançou a cabeça, dizendo:

— Lady Clarke deve ter cometido um engano. Eu nunca... Oh!

A exclamação saiu de repente, num jato. Um súbito rubor cobriu seu rosto e ela explicou:

— Agora me lembro! Que cabeça a minha! Já me esquecera desse fato. Mas nada tem de importante. Foi apenas um desses homens que vão de casa em casa vendendo meias, o senhor sabe, ex-combatentes de preferência. E são muito persistentes. Tive que despachar um deles naquele dia. Eu estava justamente passando pelo hall quando ele chegou à porta. Falou comigo em vez de tocar a campainha, mas tratava-se, como vi logo, de uma pessoa inofensiva. Imagino ter sido por isso que me esqueci dele.

Poirot deu alguns passos miúdos para cá e para lá, as mãos alisando a testa. Monologava com tal veemência que ninguém ousou dizer nada, ficando todos a olhá-lo intrigados.

— Meias — ele murmurou. — Meias... meias... *ça vient...* meias... meias... eis aí o *motivo, sim...* há três meses atrás... no outro dia... e agora. *Bon Dieu,* eu o tenho!

Sentou-se muito ereto agora, e me dirigiu um olhar imperioso.

— Lembra-se, Hastings? Andover. A tabacaria. Subimos a escada. O dormitório. E sobre a cadeira *um par de meias novas de seda*. E agora sei o que era que aquilo que despertou minha atenção há dois dias. Foi você, Mademoiselle... — Voltara-se para Megan. — Me contou que sua mãe chorara *porque tinha comprado meias novas para a filha no dia exato do crime...*

Passeou então o olhar por todos nós.

— Estão percebendo? *Trata-se do mesmo motivo* repetido em três ocasiões. Isso não pode ser coincidência. Quando Mademoiselle me contou aquilo, tive a impressão de que o que ela dizia se encaixava em algo. E agora sei do que se trata. As coisas ditas pela sra. Ascher à sua vizinha mais próxima, a sra. Fowler. Sobre pessoas que estão sempre empurrando coisas para *comprarmos...* e ela mencionou *meias*. Diga-me, Mademoiselle, é verdade ou não que sua mãe comprou aquelas meias, não numa loja, mas de alguém que batera à sua porta?

— Sim... sim, agora me lembro. Ela me disse qualquer coisa sobre o incômodo causado por esses homens teimosos que andam de casa em casa tentando vender seus artigos quase à força.

— Mas onde está a conexão com o caso? — exclamou Franklin. — O fato de um homem andar vendendo meias por aí não prova nada!

— Repito, meus amigos, isso *não pode* ser coincidência. Houve três crimes, e de cada vez um homem apareceu vendendo meias e sondando o terreno.

Voltando-se bruscamente para Thora, disse:

— *A vous la parole!* Descreva o tal homem.

Olhando para Poirot desconcertada, Thora murmurou:

— Não posso... Não sei bem como descrevê-lo... Usava óculos, penso que sim... e um casacão surrado...

— *Mieux que ça*, Mademoiselle.

— Ele ficou parado... Não me recordo direito. Mal olhei para ele. Não era o tipo de homem que chame a atenção...

Poirot disse com ar muito sério:

— Tem toda razão, Mademoiselle. O verdadeiro segredo dos assassinos reside na descrição do assassino, por que não há dúvida de que ele *foi o* assassino! *"Não era o tipo de homem que chame a atenção."* Sim, isso é um fato... Mademoiselle acaba de descrever o assassino!

22

Não faz parte da narrativa pessoal do capitão Hastings

O SR. ALEXANDER BONAPARTE CUST estava sentado muito quieto. O prato com sua refeição matinal permanecia intocado. Um jornal estava aberto e apoiado no bule de chá e ele o lia com grande interesse.

De repente, levantou-se, deu alguns passos para lá e para cá e então foi se sentar numa cadeira perto da janela. Comprimiu a cabeça com as duas mãos, soltando um gemido rouco.

Não escutou assim o ruído da porta sendo aberta. Sua senhoria, a sra. Marbury, parou no umbral, dizendo com animação:

— Estive pensando, sr. Cust, se gostaria de um saboroso... mas o que houve? Não está se sentindo bem?

O sr. Cust afastou as mãos da cabeça, retrucando:

— Não é nada. Nada mesmo, sra. Marbury. Só não estou... me sentindo muito bem essa manhã.

A sra. Marbury fitou a bandeja com o pequeno almoço.

— Estou vendo. Nem tocou na comida. É a sua cabeça que está doendo de novo?

— Não. Um pouco, apenas... Eu... eu costumo sentir uma série de coisas.

— Bem, sinto muito, acredite. Então não vai sair hoje, não é?

O sr. Cust se ergueu bruscamente, retrucando:

— Não, eu tenho que sair. É um negócio importante. Muito importante.

Suas mãos tremiam e, ao vê-lo tão agitado, a sra. Marbury procurou acalmá-lo.

— Bem, se precisa mesmo sair, saia. Vai para longe dessa vez?

— Não. Irei a... — hesitou um instante antes de completar: — Cheltenham.

Havia qualquer coisa tão especial no modo como ele chegara a mencionar aquele lugar que a sra. Marbury o olhou meio surpresa.

— Cheltenham é um belo lugar — disse a senhoria, puxando conversa. — Estive lá quando vivia em Bristol. As lojas são tão vistosas...

— Suponho que sim.

A sra. Marbury estava muito tesa, porque ficar parada não combinava com seu temperamento, e se moveu para apanhar o jornal que estava caído no chão.

— Só se vê crimes nos jornais de agora — disse ela, dando uma olhadela nas manchetes antes de colocar o exemplar sobre a mesa. — Sinto arrepios ao ler essas coisas. É como se Jack, o Estripador e tudo aquilo estivesse de volta.

Os lábios do sr. Cust se moveram, mas sem emitir nenhum som.

— Doncaster, é esse o lugar onde esse louco pretende cometer seu próximo crime — disse então a sra. Marbury. — E será amanhã! Isso nos deixa até arrepiados, não é mesmo? Se eu vivesse em Doncaster e meu nome começasse com um D, tomaria logo o primeiro trem para o fim do mundo, se pudesse. Não iria correr nenhum risco. Que me diz disso, sr. Cust?

— Nada, sra. Marbury... nada.

— E haverá as corridas e tudo mais. Não duvido que ele encontre sua oportunidade ali. Mas centenas de policiais, dizem os jornais, estão em ação e... Mas por que o senhor está *fazendo* essa cara tão desolada? Não seria melhor tomar um pequeno gole de algum licor? Realmente, agora acho que não devia viajar hoje.

O sr. Cust se empertigou, protestando:

— Mas é preciso, sra. Marbury. Sempre sou pontual em meus... compromissos. As pessoas assim adquirem mais... confiança em nós!

Quando me comprometo a fazer uma coisa, vou até o fim. É o único modo de se conduzir a bom termo um... negócio.

— Mas se o senhor está doente...

— Não estou doente, sra. Marbury. Apenas um pouco preocupado... vários problemas pessoais a resolver. E não tenho dormido bem. Não estou com nada de grave, pode crer.

Seu modo de falar era tão firme que a sra. Marbury recolheu a bandeja com a refeição e, embora relutante, saiu do quarto.

O sr. Cust puxou uma maleta que estava debaixo da cama e começou a arrumá-la. Pijama, estojo de barba, uma camisa engomada, chinelo de couro. A seguir, abriu o armário, de onde retirou umas 12 caixas de papelão achatadas de uns 25x16cm, transferindo-as então para a valise.

Olhou de relance para o guia de trens sobre a mesa e então deixou o quarto, segurando a maleta.

Já no hall, colocou o chapéu na cabeça e vestiu o sobretudo. Ao fazê-lo, suspirou tão profundamente que a moça que acabava de sair de um quarto ao lado o olhou intrigada.

— Alguma coisa o incomoda, sr. Cust?

— Nada, srta. Lily.

— Está suspirando tanto...

O sr. Cust disse bruscamente:

— É sujeita a premonições, srta. Lily? Costuma ter pressentimentos?

— Bem, não sei se sou assim como diz... Naturalmente, há dias em que sentimos que na realidade tudo sairá errado e, em outros, a gente tem a impressão de que tudo dará certo.

— Exatamente — disse o sr. Cust. E suspirando fundo de novo: — Bem, vou indo, srta. Lily. Adeus. Sei o quanto a senhorita tem sido atenciosa comigo aqui.

— Bem, mas não deve dizer adeus, assim parece que o senhor está se despedindo para sempre.

— Oh, não, naturalmente que não.

—Voltarei a vê-lo na sexta — riu a garota. — Aonde vai dessa vez? Já sei, ao balneário de novo.

— Não, não... vou a Cheltenham.

— Bem, é um lugar bacana. Mas não tanto como Torquay. É uma praia adorável. Espero ir lá nas minhas férias do ano que vem. Mas, por falar nisso, o senhor deve ter estado bem perto de onde aconteceu o crime, o do ABC. Foi justamente quando o senhor estava naquela praia, não foi?

— Sim... Mas Churston fica a umas seis ou sete milhas antes.

— Ainda assim, deve ter sido emocionante! Afinal, o senhor pode ter cruzado com o assassino na rua! Deve ter estado bem perto dele!

— Sim, é possível, naturalmente — disse o sr. Cust, com um sorriso tão apagado e torcido que Lily Marbury não pôde deixar de observar:

— Oh, sr. Cust, *não deve* estar se sentindo bem.

— Estou bem, perfeitamente bem. Adeus, srta. Marbury.

Fez um cumprimento desajeitado erguendo um pouco o chapéu, recolheu sua valise e se apressou a sair pela porta principal.

— Um tipo fora de moda, mas pitoresco — disse Lily Marbury, com ar indulgente. — Para mim, parece meio maluco.

O inspetor Crome disse a seu subordinado:

— Providencie uma relação de todos os fabricantes de meias e depois mande fazer circulares da mesma. Quero uma lista de todos os seus representantes, sabe do que estou falando, sujeitos que vendem esses artigos a domicílio na base de comissão.

— Trata-se do caso ABC, senhor?

— Sim. É mais uma das ideias do sr. Hercule Poirot. — A entonação do inspetor foi de pouco caso. — Provavelmente resultará em nada, mas não se deve deixar de lado nenhuma possibilidade, por menor que seja.

— Perfeitamente, senhor. O sr. Poirot fez muito sucesso em seu tempo, mas acho que agora ele está um pouco gagá.

— Ele é um charlatão — disse o inspetor Crome. — Sempre com aquela pose que impressiona a muita gente. Mas a *mim* não consegue impressionar. Bom, agora vamos às providências para Doncaster...

Tom Hartigan disse para Lily Marbury:
— Vi seu velho admirador essa manhã.
— Quem? O sr. Cust?
— Sim, ele mesmo. Estava em Euston. Olhando como uma galinha perdida, como de costume. Acho que esse cara está meio doido. Precisa de que alguém olhe por ele. Primeiro deixou cair seu jornal e logo depois a passagem de trem. Eu a apanhei do chão e ele... nem tinha ideia de que a perdera. Agradeceu-me de um modo muito confuso, mas não acho que tenha me reconhecido.
— Ora, meu bem — disse Lily. — Ele só viu você de passagem, poucas vezes, no vestíbulo.

Os dois dançavam agora ao som de uma vitrola.
— Você dança que é uma beleza — disse Tom.
— Me abrace mais — murmurou Lily, e se agarrou mais ao rapaz.

Continuaram a dançar até que Lily perguntou de repente:
— Você disse há pouco Euston ou Paddington? Falo de onde encontrou o velho Cust.
— Foi em Euston.
— Tem certeza?
— Claro que sim. No que está pensando?
— Curioso. Sempre pensei que se fosse a Cheltenham pela estrada de Paddington.
— E você está certa. Mas acontece que o velho Cust não ia para Cheltenham, e sim para Doncaster.
— Cheltenham, querido.
— Doncaster. Eu vi, garota! Além do mais, não te disse que apanhei a passagem de trem que ele deixara cair?

— Está bem, mas ele *me* falou que ia a Cheltenham. Tenho certeza.

— Você pode ter ouvido mal. O certo é que tomou o trem para Doncaster. Algumas pessoas vão lá arriscar a sorte. Eu também fiz uma aposta no *Pirilampo*, no Prêmio S. Leger, e gostaria de vê-lo correr.

— Não acho que o sr. Cust frequente hipódromos, não tem pinta de turfista. Oh, Tom, faço votos para que ele não seja vítima desse assassino que anda por aí. É em Doncaster que o ABC pretende cometer novo crime.

— Cust não corre esse perigo. Seu nome não começa por D.

— Ele podia ter sido morto da última vez. Estava bem perto de Churston, em Torquay, quando aconteceu o assassinato anterior.

— Estava ali, mesmo? É muita coincidência junta, não? — Riu. — Mas ele não esteve em Bexhill daquela outra vez, ou esteve?

Lilly franziu as sobrancelhas, retrucando:

— Sei que estava ausente... Sim, me lembro disso porque ele esquecera seu calção de banho. Mamãe o estava consertando para ele. E ela disse então: "E o sr. Cust acabou viajando ontem sem o seu traje de banho", e eu comentei: "Oh, pensar agora num velho calção de banho quando uma garota acaba de ser estrangulada em Bexhill. Um crime horrível!"

— Bem, se ele pediu à sua mãe para ajeitar o calção de banho é porque pretendia ir à praia. Escute, Lilly — disse Tom, com ar divertido —, que me diz desse velho maluco ser o assassino em pessoa?

— O pobre sr. Cust? Seria incapaz de matar uma mosca — riu.

Voltaram a dançar muito felizes. Aparentemente para eles só importava o prazer de estarem juntos. Mas em seus subconscientes algo os inquietava...

23

DONCASTER, 11 DE SETEMBRO

DONCASTER!

Acho que nunca me esquecerei daquele 11 de setembro. O fato é que toda vez que ouço falar do Prêmio S. Leger, automaticamente meus pensamentos se voltam, não para a corrida de cavalos, mas para aquele crime.

Ao evocar minhas próprias sensações, o que mais se impõe é um incômodo sentimento de insuficiência. Estávamos ali, no centro dos acontecimentos, Poirot, eu, Clarke, Fraser, Megan Barnard, Thora Grey e Mary Drower, e, em última instância, o *que podíamos fazer?*

Tínhamos formado um grupo para uma missão desesperada, buscando reconhecer entre uma multidão de milhares de pessoas um rosto ou figura vista de relance uma vez apenas, havia dois ou três meses.

As dificuldades na realidade eram ainda maiores. De todos nós, a única pessoa em condições de fazer tal reconhecimento era Thora Grey.

Mas uma boa parte de sua serenidade nórdica desaparecera sob a tensão daqueles dias. Seu modo de ser, habitualmente comedido e eficiente, se modificara. Sentada na sala, ela cruzava e descruzava as mãos, quase chorando, tendo no olhar um apelo incoerente para Poirot.

— Na verdade, nem cheguei a observá-lo... Por que devo reconhecê-lo? Mas que tola eu sou! Todos vocês dependendo de mim, todos... e não posso ajudar em nada. Porque mesmo se o visse de novo não saberia reconhecê-lo. Tenho uma péssima memória fisionômica.

Apesar de tudo que já me dissera sobre Thora Grey e ainda que parecesse não apreciá-la, Poirot se mostrou gentil com ela nessa ocasião. Havia um toque de ternura em sua voz e gestos ao se dirigir à moça. Deduzi então que Poirot, tanto como eu, não era indiferente a uma bela mulher em apuros.

Pousando a mão com suavidade no ombro da jovem, ele disse:

— Que é isso, *petite*? Nada de nervosismos. Não queremos vê-la assim. Se você puder ver esse homem, será capaz de reconhecê-lo.

— Como o senhor sabe disso?

— Oh, por muitos motivos... um deles, porque ao negro se segue o vermelho.

— Que quer dizer com isso, Poirot? — perguntei.

— Estou usando o linguajar do jogo. Na roleta, pode ocorrer uma incidência do preto... mas no fim *o vermelho deve aparecer*. Trata-se da lei matemática das probabilidades.

— Fala de uma reviravolta da sorte?

— Exatamente, Hastings. E é aí que o jogador (e o assassino, que afinal de contas é apenas um tipo superior de jogador, já que não arrisca seu dinheiro, mas a sua vida) deixa de ser previdente. Como *está* ganhando, pensa que *continuará* a ganhar! Assim não se retira da mesa de jogo na hora certa, com os bolsos cheios. Também no terreno do crime o assassino que é bem-sucedido *não pode admitir a possibilidade de vir a fracassar*! Ele *se* acredita destinado a vencer sempre, mas eu lhes digo, meus amigos, por melhor planejado que seja, um crime para ser bem-sucedido depende da sorte!

— Não acha que está exagerando um pouco? — objetou Franklin Clarke.

Poirot moveu as mãos com veemência.

— Não, não. As chances podem ser equilibradas, se prefere assim, mas a sorte *deve* se inclinar a seu favor. Pense bem! Podia ter acontecido que alguém entrasse na loja da sra. Ascher justamente quando o assassino saía dali. Essa pessoa podia cismar de olhar atrás do balcão, ter visto então a mulher morta e correr para deter o criminoso ou ainda descrevê-lo corretamente para a polícia, que deveria prendê-lo logo a seguir.

— Sim, naturalmente, isso é possível — admitiu Clarke. — O que equivale a dizer que a sorte coube nesse caso ao assassino.

— Precisamente. Um assassino é sempre um jogador. E, como muitos jogadores, nem sempre sabe quando deve parar. A cada novo crime, sua opinião sobre suas próprias aptidões é reforçada. Seu senso de equilíbrio fica embotado. Ele não dirá: "Tenho sido esperto e contado com a *sorte*!" Não, ao contrário disso, dirá: "Tenho sido esperto!" E o alto conceito em que tem sua engenhosidade se amplia e aí então, *mes amis*, a roleta gira, e a sequência colorida se encerra... a bolinha incide sobre um novo número e o crupiê grita: "Vermelho."

— Acha então que isso ocorrerá nesse caso? — perguntou Megan, erguendo as sobrancelhas.

— *Terá que* acontecer, mais cedo ou mais tarde! Até agora *a sorte tem acompanhado o criminoso*, mas de repente deverá mudar e ficar do nosso lado. E acredito que já *tenha* mudado! A pista fornecida pelas meias é o começo. Agora, em vez de tudo dar *certo* para ele, tudo lhe sairá *errado*. E ele, também, deve começar a cometer erros...

— Reconheço que está nos encorajando — disse Franklin Clarke. — Todos nós precisamos de um pouco de estímulo. Desde que acordei hoje, estou sentindo um desânimo realmente inibidor.

— Acho muito difícil que possamos realizar algo de alcance prático — disse Donald Fraser.

— Não seja derrotista, Don — observou Megan, com energia.

Mary Drower, um pouco constrangida, disse:

— Só sei que nunca se sabe com quem estamos lidando. Esse maníaco anda por aí e, no entanto, nós estamos aqui sem saber como reconhecê-lo. E pensar que às vezes nos reencontramos com alguém do modo mais pitoresco possível, quando não desejaríamos...

— Se ao menos pudéssemos fazer algo mais — disse eu com certa exasperação.

— Hastings, deve saber que a polícia está fazendo tudo que é humanamente possível. Agentes especiais foram convocados. O nosso bom inspetor Crome pode ter lá seus defeitos como pessoa, mas é um oficial de polícia competente, e o coronel Anderson, o comissário-chefe, é um homem de ação. Eles tomaram todas as providências para vigiar e patrulhar a cidade e especialmente o hipódromo. Policiais à paisana estarão espalhados por toda parte. E há também a campanha feita na imprensa. O público está devidamente alertado.

Donald Fraser moveu a cabeça, dizendo:

— Ele não irá atacar dessa vez. — Mostrando-se mais esperançoso, concluiu: — Só sendo mesmo um louco!

— Infelizmente, ele é louco — retrucou Clarke, secamente. — O que acha, sr. Poirot? Esse homem irá desistir ou tentará levar adiante seu plano?

— A meu ver, sua obsessão é tão intensa que ele *deverá* tentar cumprir sua promessa! Desistir seria como admitir seu fracasso, algo que seu egoísmo doentio jamais admitiria. Devo dizer que é esta, também, a opinião do dr. Thompson. Nossa esperança é que ele venha a ser capturado ao tentar a consumação do crime.

— Ele terá que ser bem esperto — disse Donald.

Poirot olhou seu relógio. Compreendemos seu gesto. Fora combinado que nós estaríamos em ação o dia todo, percorrendo o maior número possível de ruas pela manhã e, mais tarde, ocupando os vários locais de acesso ao hipódromo.

Eu disse "nós". Naturalmente, no meu caso particular, tal patrulhamento era de pouca valia, já que nunca pusera os olhos no ABC. Contudo, como a ideia era nos separarmos a fim de cobrir uma área a mais ampla possível, sugerira que me permitissem atuar como escoltante de uma das três moças.

Poirot concordara e tive a impressão de que havia uma ponta de malícia em seu olhar.

As moças foram apanhar seus chapéus. Donald Fraser estava parado junto à janela, olhando para fora, aparentemente mergulhado em seus pensamentos.

Franklin Clarke relanceou o olhar para o rapaz e notando, pela sua abstração, que não iria prestar atenção na conversa, ergueu a voz um pouco, dirigindo-se a Poirot.

— Ouça, sr. Poirot. Sei que esteve em Churston e conversou com minha cunhada. Terá ela dito, ou insinuado... quero dizer, sugerido qualquer coisa... — interrompeu-se, embaraçado.

Poirot retrucou com um ar de pura inocência que despertou em mim uma forte suspeita.

— *Comment?* Sua cunhada disse, insinuou, ou sugeriu o que afinal?

Franklin Clarke se mostrou mais embaraçado ainda ao observar:

— Talvez o senhor ache que não é hora de tratarmos de assuntos pessoais...

— *Du tout!*

— Mas eu gostaria de ver as coisas bem-esclarecidas.

— Um propósito muito elogiável.

Dessa vez senti que Clarke começara a desconfiar de que a expressão suave e cordial de Poirot ocultava um divertimento íntimo. E ele passou a se expressar de maneira mais rudemente objetiva.

— Minha cunhada é uma mulher muito distinta, amável, sempre a estimei muito, mas já se acha enferma há algum tempo. E, tratando-se desse tipo de doença, tendo de tomar certas drogas para suportar as dores, é natural que se exaspere ou, como é muito comum, passe a *inventar* coisas sobre as pessoas!

— Ah, sim?

Agora não havia como ignorar o brilho meio irônico do olhar de Poirot.

Mas Franklin Clarke, absorvido em seus rodeios diplomáticos, não notou tal detalhe.

— O assunto se refere a Thora... à srta. Grey — disse Clarke.
— Ah, é sobre a srta. Grey que está falando?
A entonação de Poirot aparentava uma certa surpresa ingênua.
— Sim. Lady Clarke enfiou certas ideias na cabeça. O senhor sabe, Thora... a srta. Grey é uma bonita moça...
— Acho que sim — admitiu Poirot.
— E as mulheres, mesmo a melhor delas, são um bocado maldosas em relação a outras mulheres. Naturalmente, Thora era uma auxiliar inestimável para meu irmão, ele sempre dizia ser ela a melhor secretária que já tivera, e a apreciava bastante, sem dúvida. Mas entre ambos o que houve foi sempre uma amizade franca e honesta. Quero dizer que Thora não é do tipo de moça que...
— Não? — disse Poirot, levando o outro a prosseguir.
— Mas o fato é que minha cunhada passou a alimentar certas ideias... ciúmes, suponho. Não que o demonstrasse abertamente. Mas, após a morte de Car, quando se tratou da permanência da srta. Grey em nossa casa... Bem, Charlotte assumiu uma atitude drástica. Naturalmente, isso se deve à sua doença e às doses de morfina e tudo mais, a enfermeira Capstick o atesta, e diz que não devemos censurar Charlotte por ter esses caprichos...

Clarke fez uma pausa um pouco demorada.
— E então?
— O que desejo que entenda, sr. Poirot, é o fato de não haver nenhum fundamento nessa história toda. São apenas fantasias próprias da imaginação de uma mulher enferma. Veja — tirou um envelope do bolso do casaco — aqui está uma carta que recebi de meu irmão quando me encontrava na Malásia. Gostaria que a lesse porque esclarece justamente o relacionamento que havia entre Car e a srta. Grey.

Poirot pegou a carta. Franklin se colocou ao lado de meu amigo e leu em voz alta alguns trechos que indicou com o dedo.

... as coisas aqui continuam correndo como sempre. Charlotte tem tido suas dores minoradas na medida do possível. Gostaria que se pudesse fazer algo mais por ela. Você se lembra de Thora Grey? É uma ótima moça e não posso lhe dizer o quanto sua presença me reconforta. Não saberia o que fazer nessa fase tão difícil não fosse ela. Sua simpatia e dedicação são constantes. Ela tem bom gosto e sabe apreciar as coisas belas além de compartilhar da minha paixão pela arte chinesa. Realmente tive sorte em encontrá-la. Nem uma filha poderia me servir de companhia tão dedicada e atenciosa. A vida dessa moça tem sido difícil e nem sempre feliz, mas me sinto contente que agora ela encontre aqui um lar e uma afeição verdadeira.

— Como vê — disse Franklin —, *eis* como meu irmão se sentia em relação a ela. Ele a imaginava como a uma filha. Assim, achei muito injusto que mal meu irmão morreu, sua esposa praticamente a expulsasse de Combeside! As mulheres são realmente uns demônios, sr. Poirot.

— Lembre-se de que sua cunhada está muito doente e sofrida.

— Eu sei. Eis por que guardo certas coisas só para mim. Não se deve julgá-la. Mas, mesmo assim, achei que devia lhe mostrar a carta. Não desejo que tenha uma impressão errada de Thora devido ao que Lady Clarke possa ter dito.

Poirot lhe devolveu a carta, dizendo com um leve sorriso:

— Posso garantir que nunca me deixo levar por impressões falsas decorrentes de algo que me é dito. Tenho minha maneira pessoal de julgar os fatos.

— Bem — disse Clarke, guardando a carta. — De qualquer modo, estou contente por ter esclarecido a questão com o senhor. Aí vêm as moças. Será melhor irmos logo.

Assim que deixamos a sala, Poirot me chamou a um canto.

— Está decidido a acompanhar a expedição, Hastings?

— Oh, sim. Não me sentiria bem permanecendo aqui inativo.
— A atividade mental é tão boa quanto a corporal, Hastings.
— Bom, acho que você é melhor nisso do que eu.
— Tem toda razão. Estarei certo ao supor que você pretende servir de cavalheiro para uma das moças?
— Essa é a minha intenção.
— E a qual delas você se propõe a honrar com a sua companhia?
— Bem... eu... ainda não pensara nisso.
— Que tal a srta. Barnard?
— Tem um modo de ser muito independente, a meu ver.
— E a srta. Grey?
— Seria a mais indicada.
— Estou achando você clara e particularmente desonesto! Descubro agora que durante todo esse tempo só pensou em passar o dia com seu anjo louro!
— Ora, francamente, Poirot!
— Lamento alterar seus planos, mas devo requisitá-lo para escoltar outra pessoa.
— Muito bem. Já percebi que você tem um fraco por aquela garota com um jeito de boneca holandesa.
— Mary Drower é a pessoa que você deve acompanhar, e peço que não a deixe sozinha um instante.
— Mas, por quê, Poirot?
— Porque, meu caro amigo, o sobrenome dela começa com um D. Não podemos correr nenhum risco.

Reconheci o acerto da sua observação. De saída me parecera algo forçada, mas então raciocinei que se o ABC tinha um ódio fanático por Poirot, devia estar bem-informado sobre os movimentos e relações do meu amigo. E nesse caso a eliminação de Mary Drower deveria afetá-lo como um autêntico e contundente quarto golpe.

Prometi então ser merecedor da sua confiança.

Ao sair, vi que Poirot estava sentado numa cadeira perto da janela. À sua frente uma miniatura de roleta. Ele girou a esfera e quando eu já alcançara a porta de saída, gritou para mim:

— *Rouge*... isto é um bom presságio, Hastings. A sorte está mudando!

24

NÃO FAZ PARTE DA NARRATIVA PESSOAL DO CAPITÃO HASTINGS

O SR. LEADBETTER EMPURROU o corpo mais para trás na poltrona e conteve um resmungo de impaciência quando seu vizinho de fila passou por ele, roubando-lhe a visão do que se passava na tela. O homem se movia meio pesadão, desajeitado e, antes de passar por Leadbetter, inclinara-se um pouco para recolher seu chapéu que ficara numa poltrona em frente.

E isso acontecia logo no momento culminante de *Not a Sparrow*, pleno de empatia e beleza poética, um filme que o sr. Leadbetter esperara uma semana inteira para asisistir.

A mocinha do filme, de cabelo dourado, interpretada por Katherine Royal (na opinião do sr. Leadbetter a estrela máxima do cinema mundial) estava justamente dizendo num desabafo cheio de revolta: "Nunca. Preferia antes morrer de fome. Mas eu não morrerei de inanição. Grave estas palavras: *nem um só pardal sucumbe assim...*"

O sr. Leadbetter moveu a cabeça com irritação, da direita para a esquerda, duas vezes. "Que gente! Por que afinal de contas certas pessoas não podiam esperar o filme *terminar* para saírem... E se retiram justamente no momento de maior impacto espiritual."

Mas, finalmente, aquele indivíduo importuno já se afastara. O sr. Leadbetter pôde, assim, ter uma plena visão da tela, onde aparecia a figura de Katherine Royal imóvel junto à janela da mansão Van Schreiner, em Nova York.

E na próxima cena a heroína estava tomando o trem, a criança em seus braços... Como eram curiosos os trens americanos, não se pareciam com os ingleses.

Ah, ali estava Steve de novo em sua cabana nas montanhas... E o filme se encaminhava rapidamente para seu final emotivo e semirreligioso.

O sr. Leadbetter soltou um suspiro, deliciado com o que vira, assim que as luzes foram acesas. Então, ergueu-se, a vista ainda se acomodando à luz.

Ele nunca deixava o cinema depressa. Sempre levava um minuto ou dois para retornar à realidade prosaica da vida cotidiana.

Olhou de relance à sua volta. Havia pouca gente no cinema naquela tarde. Quase todo mundo fora ver as corridas. O sr. Leadbetter não gostava de corridas de cavalos nem de jogar cartas ou de beber e fumar. Assim tinha mais disposição ainda para desfrutar de seu prazer em ir ao cinema.

Todos se apressavam em sair da sala de exibições. E o sr. Leadbetter se dispôs a imitá-los. O homem sentado na fila da frente estava adormecido, derreado na poltrona. O sr. Leadbetter se sentiu indignado ao pensar que havia alguém capaz de dormir durante a projeção de um drama tão emocionante como *Not a Sparrow*.

Foi então que ouviu um cavalheiro bem-vestido dizer ao dorminhoco, cujas pernas, esticadas, lhe estorvavam a passagem:

— Por favor, senhor.

O sr. Leadbetter já se achava agora próximo da saída. Então, olhou para trás, instintivamente.

Parecia que algo de anormal acontecia na fila onde se achava o dorminhoco. O porteiro... um grupinho de curiosos... Talvez aquele homem que estivera sentado à sua frente não tivesse adormecido, quem sabe, bebera demais ou...

Hesitou um instante, mas então resolveu sair de vez do cinema. E assim perdeu a ocasião de ver a sensação do dia, bem maior do que a da vitória de *Not Half*, um azarão que rateara no Grande Prêmio S. Leger uma pule altíssima.

O porteiro do cinema dizia agora ao cavalheiro elegante:

— Acho que tem razão, senhor... Ele está passando mal... Mas o que é isso?

O outro olhava agora a sua mão direita meio aturdido. Era visível a mancha de algo viscoso, avermelhado.

— É sangue...

O porteiro soltou uma exclamação abafada, pois acabara de ver alguma coisa de cor amarelada quase embaixo do assento da poltrona, entre as pernas do pretenso dorminhoco.

— Caramba! — exclamou. — *Isto aí é um... ABC!*

25

Não faz parte da narrativa pessoal do capitão Hastings

O SR. CUST SAIU DO CINE REGAL e olhou para o céu.
Um belo anoitecer... Uma noite realmente bela...
E lhe veio à mente uma citação poética de Robert Browning...
"Deus está em Sua morada celestial. Tudo está em ordem."
Sempre apreciara essa mensagem poética. Só que havia ocasiões, bem frequentes, em que ele achava que o conteúdo da mesma não era verdadeiro...
Continuou caminhando sem pressa pela rua, sorrindo para si mesmo até chegar ao Cisne Negro onde se hospedara.
Subiu a escada e alcançou seu quarto, pequeno e abafado, no segundo andar, e que dava para um pátio interno cimentado e uma garagem.
Assim que entrou no quarto seu sorriso murchou de repente. Havia uma mancha na manga do seu paletó, perto do punho. Tocou-a de leve: úmida e vermelha... Sangue...
Enfiou a mão no bolso e pescou uma fina e alongada faca. A lâmina também estava pegajosa e vermelha...
O sr. Cust ficou ali sentado um longo tempo.
Por uma vez apenas seu olhar, como o de um animal acuado, vagou pelo quarto.
Umedecia sem cessar os lábios ressecados.
— A culpa não foi minha — murmurou.
Era como se estivesse argumentando com alguma pessoa, um menino suplicando ao diretor da sua escola.

Continuou a passar a língua pelos lábios, angustiado.
Novamente, tateou a manga do casaco.
Seu olhar percorreu então o quarto e parou na bacia.
Um minuto depois já estava derramando a água na bacia com um jarro fora de moda. Tirando o casaco, pôs-se a lavar a manga com cuidado, buscando remover a mancha de sangue...
Com horror, viu que a água agora estava avermelhada...
Bateram à porta e ele ficou imóvel, tenso.
A porta foi aberta. Uma mulher, moça ainda, e gorducha, com uma vasilha na mão.

— Oh, desculpe, senhor. Sua água quente.

Cust se esforçou para dizer algo.

— Obrigado... Mas lavei as mãos com a fria mesmo...

Por que dissera isso? Imediatamente seu olhar pousou na bacia.
Disse depressa, com agitação:

— Eu... eu feri minha mão...

Houve uma pausa, na realidade bem longa, até que a moça disse:

— Sim, senhor.

Ela saiu, fechando a porta.

O sr. Cust ficou imóvel, como se transformado em estátua de pedra.
Permaneceu tenso, à escuta.
Finalmente... Seriam vozes, exclamações abafadas, passos subindo as escadas?
Nada podia escutar a não ser as batidas de seu próprio coração...
Então, subitamente, saindo de sua imobilidade, passou a agir.
Vestiu rapidamente o casaco, foi na ponta dos pés até a porta e a abriu. Nenhum ruído exceto o murmúrio dos que conversavam no bar. Alcançou o alto da escada, movendo-se devagarinho...
Ninguém ali também. Era uma sorte. Desceu a escada. Que caminho tomaria agora?
Tomou uma decisão rápida, passando depressa pelo corredor e alcançando logo a porta que dava para o pátio. Dois motoristas

estavam ali na garagem consertando seus carros e discutindo sobre perdas e danos.

O sr. Cust atravessou rapidamente o pátio e logo ganhava a rua.

Dobrou a primeira esquina à direita, depois à esquerda, de novo à direita...

Correria o risco de ir até a estação?

Mas sim, ali haveria muita gente em movimento, trens especiais e se a sorte continuasse de seu lado tudo lhe sairia certo...

Se ao menos a sorte estivesse com ele...

26

Não faz parte da narrativa pessoal do capitão Hastings

O INSPETOR CROME OUVIA as declarações feitas com grande nervosismo pelo sr. Leadbetter.

— Eu lhe asseguro, inspetor, meu coração ameaça parar quando penso no que houve. *Ele* devia estar sentado ao meu lado durante a projeção!

Crome, indiferente ao comportamento do coração do sr. Leadbetter, disse:

— Pode me explicar com clareza o que aconteceu? Aquele homem saiu quase ao final do grande filme...

— *Not a Sparrow*, com Katherine Royal — murmurou Leadbetter, automaticamente.

— Ele passou pelo senhor se movendo desajeitadamente...

— *Simulava* isso, percebo agora. Então, inclinou-se sobre a poltrona da frente para apanhar seu chapéu. Foi quando deve ter apunhalado aquele pobre homem.

— E o senhor não escutou nada? Um grito? Ou um gemido?

O sr. Leadbetter nada ouvira a não ser a explosão de revolta de Katherine Royal na pele da heroína do filme, mas com a sua imaginação muito viva inventou um gemido.

O inspetor Crome tomou esse gemido em seu valor aparente e convidou Leadbetter a prosseguir.

— E então ele saiu...

— Pode descrevê-lo para nós?

— Era bem alto. Uns dois metros. Parecia um gigante.
— Louro ou moreno?
— Bem... não sei exatamente. Acho que era calvo. Um tipo de aspecto sinistro.
— Por acaso ele era coxo? — indagou o inspetor Crome.
— Sim, sim, agora que o senhor tocou nisso, acho que ele mancava um pouco. E era muito moreno, pode ser um mestiço.
— E estava sentado ao lado do senhor antes de começar a sessão?
— Não. Ele chegou depois de começado o filme.

Crome inclinou a cabeça assentindo, pediu ao sr. Leadbetter para assinar sua declaração e se viu livre dele.

— Como testemunha, não se poderia encontrar outra pior — observou Crome, com ar pessimista. — Não disse coisa com coisa. Está claro que não tem a menor ideia da aparência do homem. Vamos ouvir o que o porteiro do cinema tem a dizer.

O porteiro, muito teso e com pose de militar, entrou e ficou à espera, o olhar fixado no coronel Anderson.

— Agora, Jameson, conte-nos o que viu.
— Sim, senhor. A sessão terminara e foi aí que vieram me dizer que havia um homem passando mal. Ao me aproximar, vi que ele estava afundado na poltrona. Algumas pessoas olhavam a cena e um senhor bem-vestido tocou o casaco do homem doente, manchando seus dedos de algo que vimos logo ser sangue, senhor. Estava claro que aquele homem morrera... apunhalado. Aí, minha atenção foi despertada por um guia ABC caído entre os pés do morto. Achei melhor não tocar em nada e avisei imediatamente a polícia, relatando o ocorrido.
— Muito bem, Jameson. Você agiu corretamente.
— Obrigado, senhor.
— Terá visto um homem sair da fila logo atrás uns cinco minutos antes de terminar a sessão?
— Vi vários, senhor.
— Poderia descrevê-los?

— Sinto que não, senhor. Sei apenas que um deles era o sr. Geoffrey Parnell. E havia também um moço que conheço, Sam Baker, com sua jovem esposa. Não notei mais ninguém em especial.

— Uma pena. É tudo, Jameson.

— Sim, senhor.

Jameson saiu depois de uma breve saudação cerimoniosa.

— O legista já nos entregou o laudo — disse o coronel Anderson. — Seria bom falarmos com o cavalheiro que chegou a tocar no morto.

Nesse momento, um policial entrou na sala, dizendo após se perfilar diante do coronel:

— O sr. Hercule Poirot está aqui com um outro senhor.

Crome franziu a testa, comentando:

— Muito bem. Suponho que será melhor recebê-los...

27

O CRIME DE DONCASTER

ENTRANDO LOGO APÓS POIROT, pude ouvir o final do comentário do inspetor Crome.

Mas tanto ele como o comissário-chefe pareciam preocupados e deprimidos.

O coronel Anderson nos cumprimentou com um gesto de cabeça.

— Estou contente que tenha vindo, sr. Poirot — disse polidamente. Acho que ele supunha que tínhamos ouvido o comentário meio irônico de Crome. — Como vê, estamos com a garganta entalada de novo.

— Um outro crime do ABC?

— Sim. Um trabalho um bocado audacioso. Nosso homem só fez se inclinar sobre uma poltrona e apunhalar a vítima pelas costas.

— Usou outra arma dessa vez.

— Sim, ele varia um bocado de métodos, não? Golpe na cabeça, estrangulamento, agora uma facada. Diabolicamente versátil... Aqui está o laudo do legista, se desejar vê-lo.

Anderson empurrou os papéis sobre a mesa para que Poirot os recolhesse.

— O morto já foi identificado? — indagou Poirot. — Sei que havia um guia ABC sob o assento da poltrona — acrescentou de imediato.

— Sim. Um ABC voltou a ser encontrado... se isso é motivo de satisfação para nós. O morto se chamava George Earlsfield e era barbeiro.

— Curioso — observou Poirot.

— Nosso homem pode ter saltado uma letra — sugeriu o coronel.

Meu amigo moveu a cabeça com ar de dúvida.

— Poderíamos fazer entrar a próxima testemunha? — perguntou Crome. — Ele está ansioso para voltar para casa.

— Sim, sim, faça-o entrar.

Um homem de meia idade parecidíssimo com o sapo-lacaio de *Alice no País das Maravilhas* foi introduzido na sala. Estava bastante nervoso e sua voz vibrava de ansiosidade.

— Foi a experiência mais chocante que já vivi — confessou ele, com voz meio esganiçada. — Tenho uma deficiência cardíaca, senhor... um coração muito fraco, podia até ter morrido.

— Seu nome, por favor — disse o inspetor.

— Downes. Roger Emmanuel Downes.

— Profissão?

— Sou professor na Highfield School.

— Agora, sr. Downes, desejamos que nos conte com suas próprias palavras o que aconteceu no cinema.

— Posso resumir com facilidade o que houve, senhores. Terminada a sessão, eu me levantei. A poltrona à minha esquerda estava vazia, mas a seguinte permanecia ocupada por um homem aparentemente adormecido. Não podia passar porque ele estava com as pernas esticadas para a frente. Pedi-lhe então licença para passar. Como não se movesse, repeti meu pedido num tom... bem, um pouco mais alto. Nenhuma resposta. Então toquei em seu ombro para despertá-lo. Foi quando seu corpo pendeu para a frente e me dei conta de que ele estava desmaiado ou seriamente doente. Aí gritei: "Este homem está passando mal. Chamem o porteiro." Este veio. Assim que olhei minha mão com a qual segurara aquele homem, notei que estava pegajosa... Havia sangue em meus dedos... Vi então que o homem fora apunhalado. No mesmo instante, o porteiro deparou com o guia de trens ABC... Asseguro, senhores, foi um choque terrível! Podia ter acontecido algo sério comigo! Eu que há anos sofro de deficiência cardíaca...

O coronel Anderson estava olhando para o sr. Downes com uma expressão realmente curiosa. Então observou:

— Pode se considerar um homem de sorte, sr. Downes.

— E sou, senhor. Nem tive palpitações!

— Creio que não me entendeu bem, sr. Downes. Não disse que estava sentado numa poltrona próxima da ocupada pelo morto?

— Na realidade, me sentara primeiro na poltrona ao lado da do homem assassinado, depois passei para a outra, pois a da frente estava vazia, o que me permitiu ver melhor o filme.

— O senhor tem praticamente a mesma constituição e altura do morto, certo? E estava usando na ocasião um cachecol de lã da mesma forma que ele, não é assim?

— Não estou percebendo... — começou a dizer o sr. Downes, confuso.

— Pois estou tentando lhe dizer, meu amigo, que o senhor teve sorte. De um modo ou de outro, quando o assassino seguia o senhor, ele cometeu um engano. Em outras palavras, *ele pegou o homem errado*. Sou capaz até de comer meu chapéu, sr. Downes, se aquela facada não lhe era destinada!

E, apesar de o coração do sr. Downes ter suportado o teste anterior, dessa vez foi incapaz de evitar fortes palpitações. O professor afundou numa poltrona, o rosto muito pálido, quase sufocado.

— Água — balbuciou. — Um copo d'água...

Foi logo atendido. Ele bebeu a água e então seu rosto readquiriu a cor normal.

— Mas eu? Por que eu? — murmurou então.

— Porque parece ter sido assim — respondeu Crome. — Na verdade, é a única explicação plausível para o caso.

— Está querendo dizer que aquele homem... o demônio personificado, um louco sedento de sangue *me* seguiu ao interior do cinema aguardando a oportunidade para...?

— Tudo indica que sim.

— Mas, em nome de Deus, por que *eu*? — indagou o professor da escola para rapazes, com ar ofendido.

Crome se sentiu tentado a responder "Por que não?", mas, em vez disso, comentou:

— Acho que não se pode esperar que um maníaco tenha razões para fazer o que faz.

— Valha-me Deus! — exclamou o sr. Downes, quase choramingando.

Levantou-se. Parecia de repente mais velho e alquebrado.

— Se não desejam mais nada de mim, preciso voltar para casa, senhores. Eu... não me sinto muito bem.

— Pode ir em paz, sr. Downes. Um policial irá acompanhá-lo, apenas para a sua segurança pessoal, já que não se sente bem.

— Oh, não, não é preciso, obrigado.

— Mas pode ser necessário — disse o coronel Anderson, secamente.

Lançou um olhar disfarçadamente ao inspetor, fazendo-lhe uma pergunta muda. Crome fez um gesto quase imperceptível.

O sr. Downes se retirou meio vacilante.

— Positivamente ele não entendeu bem a situação — disse o coronel Anderson. — Um ou dois homens devem vigiá-lo, certo?

— Sim, senhor. O inspetor Rice já tomou providências. A casa será vigiada.

— O senhor acha que ao dar pelo seu engano o ABC tentará um novo golpe? — perguntou Poirot.

— Existe tal possibilidade — disse Anderson. — Esse ABC parece ser um sujeito metódico. O fato de que as coisas não tenham saído de acordo com o programa deverá transtorná-lo.

Poirot moveu a cabeça pensativo.

— Se pudéssemos contar com uma descrição desse indivíduo — disse o coronel Anderson, irritado. — Agora estamos mais no escuro do que antes.

— Ele vai aparecer — disse Poirot.

— Pensa assim? Bem, é possível. Mas, que diabo, será que ninguém chegou a pôr os olhos no rosto desse sujeito?

— Tenha paciência.

— Parece muito confiante, sr. Poirot. Há algum motivo para esse otimismo?

— Sim, coronel Anderson. Até agora o assassino não cometera um erro. Agora vê-se forçado a cometer outro.

— Se isso é tudo que tem a dizer... — começou o coronel Anderson, com certa mordacidade, mas foi interrompido nesse instante.

— O sr. Bali, do Cisne Negro, está aqui com uma mocinha, senhor — disse um policial. — Ele afirma que tem algo a dizer que poderá ajudá-los.

— Pois faça-os entrar. Precisamos mesmo de ajuda.

O sr. Bali, do hotel Cisne Negro, era um homem corpulento, de movimentos e reflexos um pouco lentos. Cheirava a cerveja de longe. Com ele estava uma moça gordinha, olhando para tudo ali com evidente nervosismo.

— Espero não me intrometer ou roubar seu precioso tempo — disse o sr. Bali, com uma voz grossa, arrastada. — Mas esta pequena, a Mary, garante ter alguma coisa para contar que interessará aos senhores.

Mary riu baixinho, com ar inibido.

— Bem, minha jovem, de que se trata? — indagou Anderson. — Qual é seu nome?

— Mary, senhor, Mary Stroud.

— Está bem, Mary, agora conte o que sabe.

Mary buscou seu patrão com o olhar.

— Faz parte do serviço dessa garota levar água quente ao quarto dos hóspedes — disse o sr. Bali, vindo em auxílio da jovem.

— No momento, temos 12 cavalheiros no hotel. Alguns vieram para as corridas e outros são caixeiros-viajantes.

— Sim, sim — disse Anderson, impaciente.

—Vamos, pequena — insistiu o sr. Bali. — Conte sua história. Não há motivo para ficar com medo.

Mary suspirou, tomou fôlego e com a voz meio travada começou a contar:

— Bati na porta e como não obtivesse resposta, esperei um instante. Não devia ter entrado a menos que o hóspede me autorizasse, mas como não houve resposta quando insisti, resolvi abrir a porta que não estava fechada à chave. E aí eu o vi lavando as mãos...

— A garota fez uma pausa, meio ofegante devido ao nervosismo.

— Continue, minha jovem — disse Anderson.

Mary arriscou um olhar para seu patrão, meio indecisa, mas ele a animou com um aceno de cabeça e ela prosseguiu no mesmo tom excitado:

— "Trouxe sua água quente, senhor", eu disse, mas ele respondeu: "Eu me lavei com a fria mesmo", então, naturalmente, olhei para a bacia, e... Oh, meu Deus, *a água estava toda vermelha!*

—Vermelha? — perguntou Anderson, vivamente.

Bali ajudou novamente a garota:

— Ela me disse que o hóspede tirara o paletó e segurava a manga que estava molhada... não foi assim, garota?

— Sim, senhor, foi o que vi. — E acrescentou com precipitação: — O rosto dele... Oh, senhor, estava muito esquisito, com um olhar que me deu medo.

— E quando foi isso? — perguntou Anderson, bruscamente.

— Se estou bem-lembrada, por volta de cinco e quinze.

— Há três horas atrás — resmungou Anderson. — Por que não veio logo nos procurar?

— Não soube dessa história na hora — retrucou Bali. — Só quando ouvi algo a respeito de um novo crime é que a Mary, muito nervosa, me contou o incidente, senhor. Ela falou que a água da bacia estava suja de sangue. Bem, eu não confiei muito na história e fui verificar. Não havia ninguém no quarto do tal hóspede. Andei fazendo perguntas e um dos rapazes lá da garagem me disse que vira um sujeito sair apressado do hotel. A descrição conferia. Então, disse para Mary que devia ir à polícia. Ela não gostou muito da sugestão, estava muito nervosa e aí me prontifiquei a acompanhá-la.

Crome apanhou uma folha de papel e, fitando a mocinha, disse:

— Descreva o tal homem. Seja clara e breve, não há tempo a perder.

— Era de estatura normal, meio encurvado e usava óculos.

— Como estava vestido?

— Com um terno preto e um chapéu mole de feltro. Sua roupa parecia surrada.

Ela conseguiu acrescentar pouco mais a esses dados.

Crome não quis ir além no interrogatório, pois seria inútil. Os telefones da central de polícia entraram logo em ação, mas nem o inspetor nem o delegado se mostravam muito otimistas.

Crome focalizou o detalhe de que o homem não levava nenhuma valise ou embrulhos quando fora visto saindo do hotel.

— Assim, há uma chance ainda — comentou ele.

Dois policiais foram enviados ao Cisne Negro.

O sr. Bali, com ar de quem se sente orgulhoso e importante, e Mary, ainda assustada, nos acompanharam.

Um dos agentes voltou dez minutos depois.

— Eu trouxe o livro de registro de hóspedes, senhor. — Aqui está a assinatura do tal homem.

Todos nós olhamos o livro. A letra era miúda e apertada, nada fácil de ler.

— A.B. Case... ou será Cash? — perguntou Anderson.

— ABC — murmurou Crome, de modo significativo.

— E quanto à bagagem? — perguntou Anderson.

— Uma valise de bom tamanho, senhor, cheia de caixas pequenas de papelão.

— Caixas? Com o que dentro?

— Meias, senhor. Meias de seda.

Crome se voltou para Poirot e disse:

— Meus parabéns. Seu palpite estava certo.

28

Não faz parte da narrativa pessoal do capitão Hastings

O INSPETOR CROME ESTAVA em sua sala na Scotland Yard.

O telefone sobre a sua mesa soou sem muito ruído e ele atendeu logo.

— É o Jacobs, inspetor. Aqui está um rapaz que me contou algo que o senhor talvez goste de ouvir.

O inspetor suspirou. Diariamente umas vinte pessoas em média apareciam ali com alguma pretensa informação importante sobre o caso ABC. Alguns eram simplesmente tipos desequilibrados, outros, criaturas bem-intencionadas que acreditavam realmente que tinham algo útil a informar. Era dever do sargento Jacobs agir como uma peneira humana, retendo o material imprestável e selecionando o que parecia aproveitável para o inspetor.

— Muito bem, Jacobs — disse Crome. — Mande-o entrar.

Pouco depois batiam à porta do inspetor e o sargento Jacobs entrava, acompanhando um rapaz alto, de aparência razoável.

— Este é o sr. Tom Hartigan, chefe. Ele tem informações que talvez tragam algum esclarecimento sobre o caso ABC.

O inspetor se ergueu e, com amabilidade, apertou a mão do rapaz.

— Bom dia, sr. Hartigan. Não quer se sentar? Fuma? Quer um cigarro?

Tom Hartigan se sentou meio desajeitado, olhando com certo temor respeitoso aquele homem que catalogara mentalmente como "um dos mandachuvas". Mas logo as maneiras aparentes do inspetor o desapontaram um pouco. Parecia uma pessoa tão comum!

— Agora vamos — disse Crome. — Tem algo a nos contar e acha que servirá para nos ajudar a esclarecer o caso. Pois vá em frente.

Tom começou a falar meio nervoso.

— Bem, pode ser que não valha a pena. É apenas uma ideia minha. Talvez esteja roubando seu tempo.

Crome suspirou de novo, discretamente. Que tempo enorme tinha de perder para animar as pessoas a falar!

— Quem pode julgar melhor isso somos nós aqui. Vamos aos fatos, sr. Hartigan.

— Bem, senhor, o caso é o seguinte. Eu namoro uma jovem, sabe, e a mãe dela aluga quartos. Lá pelos lados de Camden Town. O quarto dos fundos, no segundo andar, fora alugado por um ano a um homem chamado Cust.

— Cust...

— Exato, senhor. Um tipo de meia idade com um jeito de quem já apanhou muito da vida, meio confuso e caladão. Dessas pessoas que nunca matariam uma mosca, o senhor sabe... e eu nunca pensaria que ele fosse capaz de fazer algo ruim se não tivesse acontecido uma coisa que achei muito estranha.

E de um modo algo enrolado e se repetindo com frequência, Tom descreveu seu encontro casual com o sr. Cust na estação de Euston e o incidente do bilhete perdido.

— Como o senhor pode observar, de qualquer modo que se encare o fato, não deixa de ser divertido. Lily, a minha garota, afirmou que ele se referira a Cheltenham, e sua mãe confirma isso. Ela se recorda distintamente de terem falado nisso na manhã em que ele partiu. Naturalmente, não prestei muita atenção a esse detalhe na ocasião. Lily, minha pequena, disse recear que Cust fosse vítima desse tal ABC ao ir a Doncaster, e falou também que havia muita coincidência no fato de Cust ter estado perto de Churston por ocasião do crime anterior. Rimos e lhe perguntei então se ele por acaso não estivera em Bexhill anteriormente, e ela respondeu não saber exatamente se Cust estivera lá, mas que fora a um balneário, disso tinha certeza. Foi aí que eu comentei com ela a hipótese dele ser o próprio ABC. Uma piada, é claro. Ela falou que o pobre sr. Cust não mataria uma mosca, e a coisa morreu aí. Não pensamos mais no assunto. Pelo menos da maneira como eu tinha feito até ali. Depois comecei a matutar sobre esse tal Cust e pensei que, afinal de contas, inofensivo como ele parecia, devia ser um bocado biruta.

Tom parou para tomar fôlego e então prosseguiu. Crome agora já o ouvia com interesse.

— E aí aconteceu esse crime em Doncaster, senhor, e li nos jornais que se buscava informações sobre o paradeiro de um certo A.B. Case ou Cash. A descrição desse indivíduo combinava bastante com a de nosso amigo. Dei um pulo na pensão e perguntei a Lily se ela sabia as iniciais do nome todo do sr. Cust. Ela não soube me dizer, mas sua mãe se lembrou que eram A.B. Aí fomos mais longe no assunto e imaginamos então se Cust não teria estado em Andover por ocasião do primeiro assassinato. Bem, o senhor sabe que não é fácil rebuscar coisas passadas há três meses atrás. Tivemos uma trabalheira, mas acabamos tendo sorte no final, porque um irmão da sra. Marbury viera do Canadá para visitá-la justamente no dia 21 de junho. Ele chegou inesperadamente, e sua irmã quis providenciar um quarto para alojá-lo na pensão. Aí, Lily sugeriu que Bert poderia ficar no dos fundos já que o sr. Cust *estava ausente*. Mas a sra. Marbury não concordou, achando que não estaria agindo direito com seu inquilino, ela que sempre gosta de proceder com franqueza e honestidade. Mas, graças a esse pequeno incidente, e ao fato do barco de Bert Smith estar ancorado em Southampton naquela data, chegamos a um bom resultado.

Crome escutara com muita atenção, tomando uma ou outra anotação. Então indagou:

— É tudo?

— Sim, senhor. Espero que não tenha tomado seu tempo à toa com algo que talvez não signifique nada.

E Tom enrubesceu ligeiramente.

— Não de todo. Você agiu certo vindo aqui. Naturalmente, a margem de evidência é pequena, essas datas podem significar uma simples coincidência assim como a questão do nome, também. Mas certamente merece meu interesse em ter uma conversa com esse sr. Cust. Ele está em casa agora?

— Sim, senhor.

— Quando voltou?

— Na noite do crime de Doncaster.

— E que esteve fazendo desde então?

— Ele fica em casa a maior parte do tempo, senhor. E anda com um ar muito esquisito, segundo a sra. Marbury. Compra um monte de jornais, deita-se bem cedo depois de lê-los, naturalmente, e pela manhã bem cedo sai para comprar os matutinos. A sra. Marbury nos contou também que ele fala um bocado sozinho. Ela acha que o sr. Cust está ficando meio maluco.

— Qual é o endereço da sra. Marbury?

Tom disse onde ficava a casa da mãe de sua namorada e Crome observou:

— Obrigado pela informação. Possivelmente cuidarei do assunto ainda hoje. Não preciso lhe recomendar cuidado e discrição se estiver com esse sr. Cust.

Crome se levantou, imitado pelo rapaz e trocaram um aperto de mão.

— Acredite que fez o que devia fazer vindo nos procurar. Bom dia, sr. Hartigan.

Pouco depois que o rapaz saiu, Jacobs voltou a entrar na sala de seu superior, perguntando:

— E então, senhor? Achou boas as informações?

— São promissoras — retrucou o inspetor. — Isto é, se os fatos são realmente como o rapaz expôs. Ainda não conseguimos nada junto aos fabricantes de meias. Já era tempo de tentar outra coisa. Por falar nisso, traga-me o dossiê do caso de Churston.

Jacobs gastou alguns minutos procurando o que seu chefe pedira.

— Sim, é este. O que eu queria está aqui, entre os depoimentos prestados à polícia de Torquay. Um jovem chamado Hill, declarou que deixava o Torquay Palladium após a exibição do filme *Not a Sparrow* quando sua atenção foi despertada por um homem que se comportava de modo esquisito. Falava sozinho. Hill o ouviu dizer: "Eis aí uma boa ideia." Esse filme não é o que estava passando no Cine Regal de Doncaster?

— Sim, senhor.

— Isso pode significar alguma coisa. Às vezes, trata-se apenas de uma simples impressão... mas é possível que a ideia do *modus operandi* para seu próximo crime surgisse então na mente de nosso homem. Vejo que temos o nome completo desse Hill e seu endereço. A descrição que fez do tal homem é vaga, mas se encaixa muito bem nas descrições feitas por Mary Stroud e por Tom Hardigan...

Jacobs assentiu, pensativo.

— Talvez estejamos animados agora, quem sabe se com razão, pelo fato de que esse homem tenha se mostrado sempre reservado, meio estranho.

— Alguma ordem, senhor?

— Coloque dois homens vigiando essa casa de Camden Town, mas que não façam nosso pássaro voar. Eu terei uma conversinha com esse A.C. Pensei em ir lá porque achei mais acertado do que trazer esse Cust aqui e lhe perguntar se gostaria de prestar declarações. Isso daria a impressão de que estávamos prontos para engaiolá-lo.

Tom Hartigan acabara de se encontrar com Lily Marbury, que ficara esperando por ele.

— Foi tudo bem, Tom?

O rapaz assentiu, explicando:

— Falei com o próprio inspetor Crome. É quem está encarregado do caso.

— Como é ele?

— Um bocado tranquilo e cheio de maneirismos, não faz meu tipo de detetive.

— Esse é o novo modelo de Lorde Trenchard — disse Lily, com um toque de respeito na voz. — Alguns deles são de primeira. Bem, o que ele falou?

Tom fez um rápido resumo do encontro.

— Então, acham que foi realmente ele?...

— Pensam que deve ser. Seja como for, o inspetor me disse que lhe farão algumas perguntas.

— Pobre sr. Cust.

— Não fica bem ter pena do sr. Cust, garota. Se ele é o ABC, cometeu quatro terríveis assassinatos.

Lily suspirou e balançou a cabeça.

— Isso me parece horrível.

— Bom, agora vamos voltar e tomar um bom lanche, querida. Já pensou se minhas suspeitas estiverem certas e meu nome sair nos jornais?

— Oh, Tom, será mesmo?

— Melhor ainda. O seu nome também vai aparecer e o de sua mãe. E tenho um palpite de que seu retrato será publicado, também.

— Que bacana, Tom!

E Lily se pendurou no braço do namorado, deliciada com a ideia.

— E nesse meio tempo o que me diz de comermos algo no *Corner House*?

Lily se aconchegou ainda mais ao rapaz, exclamando:

— Então, vamos logo!

— Certo. Espere apenas um minuto. Devo telefonar da estação.

— Para quem?

— Para uma garota com quem eu ia me encontrar...

Lily se afastou dele bruscamente, mas pouco depois desistia de andar sozinha e se juntava ao rapaz, meio sem jeito por levar a sério uma brincadeira.

— Agora, falemos sério, Tom — disse ela, enfiando o braço no dele de novo. — Fale mais sobre sua visita à Scotland Yard. Não viu aquele outro lá?

— De quem está falando?

— Do cavalheiro belga. Aquele a quem o ABC escreve sempre.

— Não. Ele não estava lá.

— Bem, me conte mais coisas. Que aconteceu quando você estava lá dentro? Quem o atendeu e o que você disse?

O sr. Cust depôs o fone no gancho com delicadeza.

Voltou-se então para a sra. Marbury que estava parada à porta de um dos quartos, morta de curiosidade, evidentemente.

— Não é sempre que recebe telefonemas, não, sr. Cust?

— Não... mesmo, sra. Marbury.

— Espero que não sejam más notícias...

— Não... não.

Como era insistente aquela mulher. Então arriscou um olho para as manchetes do jornal que segurava.

Nascimentos... Casamentos... Mortes...

— Minha irmã acaba de ter um bebê — foi a saída que o sr. Cust encontrou.

Ele... que nunca tivera irmãs!

— Oh, meu Deus! Agora... bem, isso é ótimo, sem dúvida. ("Ele nunca mencionou essa irmã em todos esses anos", foi o que ela pensou. "E ainda pensam que esse homem!...") Fiquei surpresa, confesso ao senhor, quando aquela senhora me pediu para falar com o "sr. Cust". No primeiro minuto, tive a impressão de estar ouvindo a voz da minha Lily, era muito parecida, realmente, mas acredite que senti uma espécie de euforia no ar. Bem, sr. Cust, aceite meus parabéns sinceros. É o primeiro, ou o senhor já tem outros sobrinhos?

— Este é o primeiro e o único que já tive ou gostaria de ter, e... agora acho que devo viajar. Eles... eles devem estar me esperando lá. Eu... eu acho que ainda dá para apanhar o próximo trem se me apressar.

— Pretende ficar muito tempo fora, sr. Cust? — perguntou a sra. Marbury quando ele já subia a escada.

— Oh, não... dois ou três dias apenas.

O sr. Cust entrou em seu quarto. A sra. Marbury entrou na cozinha, pensando, sentimental como era, naquela "pobre e gentil criatura".

Sentiu uma ponta de remorso na consciência ao se lembrar de algo.

Na noite passada, Tom e Lily e toda aquela busca e conferência de datas! Tentando provar que o sr. Cust era aquele monstro horrível, o ABC. Apenas por causa de suas iniciais e devido a algumas poucas coincidências.

"Espero que eles não estejam levando isso a sério", pensou a sra. Marbury, buscando se despreocupar. "E agora confio em que se envergonhem do que imaginaram."

De uma maneira muito íntima e inexplicável, o fato do sr. Cust ter dito que sua irmã tivera um filho removera efetivamente quaisquer dúvidas porventura alimentadas pela sra. Marbury, de boa fé, sobre seu inquilino.

"Espero que ela não tenha tido problemas com o parto, pobrezinha", pensou a sra. Marbury, ainda sentimental, testando a temperatura do ferro com a ponta do dedo úmido antes de passar a blusa de seda de Lily.

Sua mente se aquietou quando o rumo de seus pensamentos se fixou em coisas mais corriqueiras.

Enquanto isso, o sr. Cust descia silenciosamente a escada, maleta na mão. Seu olhar pousou um instante no telefone sobre a mesinha.

Aquela curta conversa de há pouco ainda ecoava em sua mente.

"É o sr. Cust quem fala? Acho que gostaria de saber que um inspetor da Scotland Yard pretende ir aí conversar com o senhor..."

O que ele respondera então? Não conseguia se lembrar...

Sim, dissera ao telefone algo assim: "Obrigado... muito obrigado, minha querida... foi muito gentil da sua parte..."

Por que ela lhe telefonara? Seria possível que tivesse adivinhado? Ou então apenas desejara sugerir que ele devia permanecer em casa aguardando a visita do inspetor?

Mas como ela sabia que o tal inspetor viria?

E sua voz... ela a disfarçara ao falar com a mãe.

Parecia... sim, parecia que ela já *estava a par...*

"Era bem possível", pensou o sr. Cust. As mulheres são muito estranhas. Cruéis e ternas de uma maneira insuspeitada e repentina. Uma vez ele já vira Lily livrar um rato de uma ratoeira.

Uma garota gentil...

Uma gentil e bonita jovem...

Parou perto do grande armário do hall com sua carga de guarda-chuvas e casacos.

Poderia...?

Um leve ruído vindo da cozinha o levou a se decidir...

Não, não daria tempo...

A sra. Marbury poderia voltar à sala e...

Abriu a porta da rua, deu um passo à frente e a fechou as suas costas...

Para onde?...

29

NA SCOTLAND YARD

NOVA REUNIÃO.

Presentes o comissário-assistente, o inspetor Crome, Poirot e eu.

O comissário-assistente estava dizendo no momento:

— Uma boa sugestão de sua parte, sr. Poirot, essa de checar os que negociam com meias.

Poirot fez um gesto largo com as mãos, retrucando:

— Era o mais aconselhável. Esse homem não poderia ser um representante ou vendedor comum. Ele vendia os artigos diretamente sem nenhum vínculo com alguma firma.

— Obteve algo de positivo nesse sentido, inspetor?

— Acho que sim, senhor. — Crome consultou uma pasta. — Devo fazer um apanhado da situação até hoje?

— Sim, faça isso, por favor.

— A verificação que fiz incluiu inicialmente Churston, Paignton e Torquay. Obtive uma relação de pessoas que ele visitou para vender meias. Devo dizer que esse homem agiu de modo muito meticuloso. Hospedou-se no Pitt, um pequeno hotel próximo da Torre Station. Na noite do crime, retornou ao hotel às dez e trinta. Pode ter tomado um trem em Churston às 9h57, chegando a Torre às dez e vinte. Ninguém pôde descrevê-lo, pois não se fixaram nele no trem ou na estação. Mas naquela sexta-feira foi disputada a Regata de Darmouth e os trens que vinham de Kingswear estavam praticamente lotados.

"Em Bexhill ocorreu quase o mesmo. Registrou-se no Hotel Globo com o seu próprio nome. Procurou vender meias em cerca de 12 casas, incluindo a da sra. Barnard e a lanchonete *Ginger Cat*. Deixou o hotel no começo da noite. Chegou de volta a Londres por volta de onze e trinta da manhã seguinte. Em Andover procedeu da mesma forma. Alojou-se no Feathers. Tentou vender as meias à sra. Fowler, moradora da casa vizinha da sra. Ascher, e a meia dúzia de pessoas na rua. O par comprado pela sra. Ascher eu obtive da sua sobrinha (de nome Mary Drower), e são idênticas às do estoque do sr. Cust.

— Até aqui, muito bem — disse o comissário-assistente.

— Para apurar uma informação que recebi — continuou o inspetor —, fui ao endereço fornecido a mim por Hartigan, mas soube que Cust saíra dali uma meia hora antes. Recebera um telefonema, segundo me informaram. Foi a primeira vez que ele recebeu um telefonema desse tipo, me contou a dona da casa.

— Terá um cúmplice? — insinuou o comissário-assistente.

— Muito improvável — disse Poirot. — É curioso que... a menos...

Todos nós o olhamos interrogativamente, mas ele não prosseguiu e balançou a cabeça, levando o inspetor a prosseguir a leitura do dossiê.

— Revistei meticulosamente o quarto ocupado por Cust. Essa busca serviu para eliminar quaisquer dúvidas que ainda existissem. Encontrei um bloco de papel de carta semelhante ao usado para as cartas de aviso, um bom sortimento de artigos de malha, meias principalmente, e... no fundo do armário, onde estavam guardadas as meias, havia um pacote quase do mesmo formato e tamanho, mas com outro conteúdo, como verifiquei logo ao abri-lo. Ali estavam *oito exemplares novos do guia ABC*!

— Uma prova concludente — disse o comissário-assistente.

— Descobri algo mais, também — retrucou o inspetor, cuja entonação de voz se mostrou de repente quase humana, na minha opinião, com ar triunfante. — Só descobri isso essa manhã, senhor. Não tinha tido tempo ainda para anotá-lo. Não havia nem sinal daquela faca no quarto...

— Seria uma atitude imbecil guardar a arma do crime ali — observou Poirot.

— Afinal de contas, ele não é uma criatura racional — observou o inspetor. — Seja como for, me ocorreu que ele podia muito bem ter trazido a arma para casa e, então, intuindo ser perigoso guardá-la ali, como o sr. Poirot observou, no seu quarto, procurou escondê-la em outra parte. Que lugar da casa escolheria? Encontrei logo a resposta. O *guarda-roupa do hall*, ninguém costuma removê-lo. Sendo uma peça muito pesada tive dificuldade em afastá-la da parede... E lá estava o que procurava! Não havia dúvida alguma. Estava manchada de sangue ressecado.

— Bom trabalho, Crome — disse o comissário-assistente. — Só precisamos de mais uma coisa agora.

— Qual?

— Apanhar esse homem.

— Nós o pegaremos, senhor. Não se preocupe.

O inspetor falava com autoconfiança.

— Que tem a dizer, sr. Poirot?

Poirot pareceu emergir de um sonho.

— Perdão, não ouvi bem o que dizia.

— Estávamos dizendo que a prisão do nosso homem é pura questão de tempo agora. Concorda conosco?

— Ah, era isso... sim. Sem dúvida alguma.

Estava tão abstraído que todos ali o olharam curiosos.

— Alguma coisa o preocupa, sr. Poirot?

— Há algo que me preocupa e muito. Trata-se do *por quê*. O *motivo*.

— Mas, meu caro amigo, o homem é louco varrido — disse o comissário-assistente, com certa impaciência.

— Entendo o que o sr. Poirot quer dizer — observou Crome, vindo em seu socorro cortesmente. — Ele está certo. Uma obsessão definida está por trás disso tudo. Acho que encontraremos a raiz do problema num complexo de inferioridade exacerbado. Pode se tratar, também, de mania de perseguição e, nesse caso, talvez visse o sr. Poirot como um de seus perseguidores. Ele pode ter a impressão de que o sr. Poirot é um detetive contratado para caçá-lo.

— Hum — murmurou o comissário-assistente. — Essa é a maneira de explicar as coisas em moda hoje em dia. No meu tempo, se um homem era louco é porque era mesmo e não se procurava usar termos científicos para disfarçar o fato. Imagino que um médico de agora venha a nos sugerir a internação de um homem como esse ABC numa clínica psiquiátrica, nos dizendo que após uns 45 dias de tratamento e repouso ele poderá se reintegrar normalmente à sociedade.

Poirot sorriu, mas não retrucou.

A reunião terminara.

— Bem — disse o comissário-assistente —, como já disse o Crome, prender esse homem é mera questão de tempo.

— Já o teríamos agarrado antes se não fosse um sujeito de aparência tão comum. Por causa disso chegamos a importunar pessoas absolutamente inofensivas.

— Gostaria de saber onde ele se encontra nesse momento — disse o comissário-assistente.

30

Não faz parte da narrativa pessoal do capitão Hastings

O SR. CUST PAROU PERTO DE UMA QUITANDA.
Olhou para o outro lado da rua.
Sim, era ali.
Sra. Ascher. Vendedora de revistas e cigarros...
Na janela via-se uma tabuleta: *Aluga-se.*
Vazia...
Sem vida...
— Desculpe, senhor.
Era a mulher do quitandeiro, procurando apanhar uns limões.
O sr. Cust se desculpou, saindo do caminho.
Lentamente pôs-se a caminhar, agora na direção da rua principal...
Era difícil, muito difícil mesmo a sua situação, já que estava sem dinheiro...
Não ter comido nada durante aquele dia todo o fazia se sentir muito esquisito e meio tonto...
Seu olhar esbarrou num cartaz afixado numa lojinha onde se vendiam jornais e revistas.
"O caso ABC. Assassino ainda está solto. Entrevistas com o sr. Hercule Poirot."
O sr. Cust monologou:
— Hercule Poirot. Será que *ele* sabe...
Afastou-se dali. Não devia ficar parado olhando aquele cartaz...

Pensou: "Não tenho mais saída..."
Pé ante pé... que estranho seu modo de caminhar...
Altamente ridículo...
Mas, afinal de contas, o homem é um animal ridículo...
E ele, Alexander Bonaparte Cust, era particularmente grotesco.
Sempre fora...
As pessoas costumavam rir dele...
E não podia censurá-las por isso...
Aonde estava indo? Não sabia. Chegara ao fim da linha. Não olhava agora para outra coisa a não ser seus pés.
Caminhava como se flutuasse.
Olhou para cima. Luzes piscando à sua frente. E o letreiro...
Distrito policial.
— É engraçado — murmurou o sr. Cust.
Esboçou um risinho frouxo.
Então deu alguns passos à frente. Subiu os poucos degraus e já ia entrar na delegacia quando cambaleou e caiu desmaiado.

31

Hercule Poirot interroga

ERA UM DIA DE NOVEMBRO DE CÉU CLARO. O dr. Thompson e o inspetor-chefe Japp tinham vindo informar a Poirot o resultado do inquérito policial movido contra Alexander Bonaparte Cust.

Estando muito gripado, Poirot não pudera comparecer aos interrogatórios e à audiência preliminar. Felizmente ele não exigira que eu o representasse.

— Ele será enviado a julgamento. Eis o que ficou decidido — disse-nos Japp.

— E não lhe será facultado o direito de defesa? Sempre pensei que fosse assim nessa fase do processo.

— É o procedimento usual nesses casos, realmente — retrucou Japp. — Suponho que o jovem promotor Lucas queira apressar as coisas. Afinal de contas, insanidade é uma única alegação que a defesa pode apresentar nesse caso.

Poirot deu de ombros, observando então:

— Alegar insanidade não absolve ninguém. No passado, certas prisões para deleite de Suas Majestades pouco diferiam da morte.

— Imagino que Lucas receie que ainda haja uma chance para Cust. Com um álibi de primeira classe para o crime de Bexhill, o caso poderia sofrer certa reviravolta. Mas acho também que ele ignora a força de nossas provas contra esse homem. Seja como for, Lucas adora esses casos originais. É moço e deseja impressionar a opinião pública, promover-se.

Poiroit se voltou para Thompson.

— Qual a sua opinião, doutor?

— Sobre Cust? Palavra de honra que não sei o que dizer. Está atuando como um tipo normal de maneira até bem convincente. Mas é um epilético, naturalmente.

— Que desfecho surpreendente o desse caso! — observei.

— Refere-se à entrada de Cust na delegacia de Andover e ao seu desmaio? Sim, foi um final realmente dramático para o caso. Aliás, o ABC sempre planejou com requinte o efeito que seus atos causariam.

— É possível se cometer um crime e não se ter consciência de havê-lo consumado? — perguntei então. — Afinal, as negativas de Cust parecem conter boa dose de autenticidade.

O dr. Thompson deu um leve sorriso, retrucando:

— O senhor não deve se deixar levar por frases meio teatrais do tipo "Eu juro por Deus que sou inocente." Na minha opinião, *Cust sabe perfeitamente que cometeu esses crimes.*

— Embora, como é comum nesses casos, o prisioneiro negue com veemência sua culpa — acrescentou Japp.

— Assim, segundo o senhor — disse Poirot —, é perfeitamente possível que um indivíduo sujeito a ataques epiléticos e lapsos cometa certas ações em estado de sonambulismo e não tenha, depois, consciência de tê-las praticado. Mas é do consenso geral que um tal ato "não deva contrariar a vontade da referida pessoa quando desperta".

E ele passou a debater a questão, falando do *grand mal* e do *petit mal* e, para ser franco, me deixou muito confuso, como acontece comumente quando uma pessoa culta se aprofunda num assunto que lhe é familiar.

— Contudo, não concordo com a teoria de que Cust cometeu esses crimes sem saber que os praticava. Ainda se poderia aceitar tal teoria se não houvesse as cartas. Estas derrubam tal teoria pela base. Elas demonstram premeditação e um cuidadoso planejamento do crime.

— E sobre essas cartas ainda não temos nenhuma explicação — concluiu Poirot.

— Isso lhe interessa tanto assim?

— Naturalmente, já que foram escritas para mim. E, sobre essas mesmas cartas, Cust nem se manifesta. Até que descubra a razão delas me terem sido endereçadas, não considero esse caso resolvido.

— Bem, dentro do seu ponto de vista, posso entender tal atitude. Mas não haverá nenhum motivo para acreditar que esse homem tenha algo contra o senhor de algum modo?

— Absolutamente.

— Tenho uma sugestão a fazer. Seu nome, por exemplo.

— Meu nome?

— Sim. Cust carrega, aparentemente devido ao capricho de sua mãe, não me surpreenderia se se tratasse aqui do complexo de Édipo, dois nomes de batismo extremamente pretensiosos: Alexandre e Bonaparte. Percebe as implicações? Alexandre, o Grande, figura histórica de conquistador do mundo e supostamente invencível. Bonaparte, o grande imperador da França. Assim se poderia dizer que ele aspira a um adversário, um adversário, digamos, de sua classe. Bem... o senhor tem o nome de um gigante mitológico, Hércules.

— Suas palavras são muito sugestivas, dr. Thompson. Despertam ideias...

— Oh, trata-se apenas de uma sugestão. Bom, devo ir agora.

O dr. Thompson se retirou, mas Japp ficou mais um pouco.

— Essa questão do álibi o preocupa? — indagou Poirot.

— Um pouco — admitiu o inspetor. — Compreenda, não acredito nele, pois sei que não é verdadeiro. Mas vai ser o diabo para invalidá-lo. Esse Strange é um osso duro de roer. Muito obstinado.

— Diga-me como ele é.

— Um quarentão, persistente, autoconfiante, presunçoso e engenheiro de minas. Para mim, foi ele quem insistiu para que tomassem a termo seu testemunho agora. Está com viagem marcada para o Chile. Assim, espera ver a coisa resolvida logo.

— É uma das pessoas mais categóricas que já conheci — comentei.

— O tipo de homem que não gostaria de admitir um equívoco seu — disse Poirot, com ar pensativo.

— Ele se aferra à sua versão e não admite ser interrompido com argumentações contrárias. Jura por tudo que há de mais sagrado que encontrou Cust no Hotel Whitecross, em Eastbourne, na noite de 24 de julho. Estava sozinho e desejava ter alguém com quem bater um papo. Pelo que já pude observar, Cust é o tipo do ouvinte ideal. Não interrompe ninguém! Após o jantar, ele e Cust jogaram dominó. Parece que Strange era um craque nesse jogo, mas, para sua surpresa, Cust se mostrou também um hábil e apaixonado praticante do dominó. Estranho jogo esse. Tem gente que é louca por ele. São capazes de ficar jogando horas a fio. E foi o que Strange e Cust aparentemente fizeram. Cust quis se retirar para dormir, mas Strange não o permitiu e jura que só se recolheram à meia-noite. Na verdade, afirma Strange, despediram-se com um boa noite dez minutos após a meia-noite. E se Cust estava no Whitecross em Eastbourne à meia-noite e dez da manhã do dia 25, obviamente não poderia ter estrangulado Betty Barnard na praia de Bexhill entre meia-noite e uma da madrugada.

— É, o problema parece realmente insuperável — disse Poirot, pensativo. — Decididamente, isso dá o que pensar.

— É o que tem acontecido com Crome — observou Japp.

— Esse Strange é muito objetivo?

— Sim. É taxativo e obstinado, ficando realmente difícil descobrir onde está o ponto fraco de seu testemunho. Supondo-se que Strange esteja equivocado e o tal homem não fosse Cust, por que então ele *afirma* ser este o nome de seu parceiro de dominó? E a assinatura no livro de registro do hotel está correta. Não se poderia dizer que houve um cúmplice, maníacos homicidas não os têm! Teria a jovem morrido mais tarde? O médico legista se mostrou categórico em seu laudo, e seja como for, não daria tempo para que Cust deixasse o hotel de Eastbourne sem ser visto por ninguém e se dirigir a Bexhill, a 14 milhas dali...

— Sim, isso é um problema — disse Poirot.

— Naturalmente, de uma maneira estrita, a acusação ainda fica de pé. Nós prendemos Cust pelo assassinato de Doncaster, fundamentados em provas como o casaco manchado de sangue, a arma do crime; não há escapatória. Ninguém poderia levar nenhum júri a declará-lo inocente. Ele fica isento apenas do cometimento de um dos crimes. Mas cometeu o de Doncaster, o de Churston e o de Andover. Então, com mil diabos, ele *deve* ter consumado o assassinato de Bexhill também. Mas o caso é que eu não vejo como!

Japp balançou a cabeça e acrescentou:

— Essa é a sua oportunidade, sr. Poirot. Crome está no escuro. Ponha em ação essas suas excelentes células cinzentas, de que tanto já ouvi falar. Mostre-nos como ele pôde fazer isso.

E o inspetor se retirou.

— Que me diz dessa história, Poirot? — perguntei então. — Essas pequenas e úteis células cerebrais estarão aptas a decifrar o problema?

Poirot respondeu a minha pergunta com outra indagação:

— Diga-me, Hastings, considera esse caso encerrado?

— Bem... sim, praticamente está. Já pegaram o homem. E há muitas provas. Restam apenas os remates.

— Então, o caso está terminado! Qual! O caso é o *homem*, Hastings. Até que tenhamos conhecido tudo sobre o homem, o mistério permanece tão denso como antes. Não se pode cantar vitória só porque o colocamos atrás das grades!

— Conhecemos um bocado de coisas sobre ele.

— Não sabemos realmente nada! Sabemos apenas onde ele nasceu. Que esteve na guerra, recebeu um leve ferimento na cabeça e foi desligado do exército devido à epilepsia. Sabemos que esteve como inquilino da sra. Marbury nos últimos dois anos. Que era quieto e reservado, o tipo de homem que ninguém nota. Sabemos que ideou e levou avante um hábil esquema de assassinato sistematizado. Que cometeu alguns erros incrivelmente tolos. E que matou suas vítimas de modo impiedoso, atroz. Sabemos também que não deixou, generosamente, que a culpa dos crimes por ele cometidos recaísse sobre qualquer outra pessoa. Se ele esperava matar sem ser molestado, então, seria fácil fazer outras pessoas sofrerem por seus crimes. Hastings, não percebe que esse homem é uma massa de contradições? Simplório e astuto, cruel e magnânimo, *e deve haver algum fator dominante que reconcilie suas duas índoles?*

— Se você o encara como objeto de um estudo psicológico, é claro... — comecei a dizer.

— E qual foi outro senão este o caminho adotado nesse caso desde o início? Até agora estive apalpando o terreno, tentando *conhecer realmente o assassino*. E agora, Hastings, vejo *que não o conheço de fato*! Estou desorientado.

— A ânsia por poder... — comecei a dizer.

— Sim, isso explicaria um bocado de coisas... Mas não me satisfaz. Há coisas que desejo saber. *Por que* ele cometeu esses crimes? *Por que* escolheu particularmente essas pessoas como suas vítimas?...

— A ordem alfabética... — lembrei.

— Betty Barnard era, por acaso, a única pessoa em Bexhill cujo nome começava por B? Betty Barnard... Acaba de me surgir uma ideia... Deve ser verdade, sim deve ser verdade. Mas nesse caso...

Fez uma longa pausa e não quis interromper suas reflexões. E, para ser franco, acho que até acabei cochilando.

Despertei ao toque da mão de Poirot em meu ombro.

— *Mon cher* Hastings — disse ele com carinho. — Meu anjo da guarda.

Fiquei muito confuso com essa repentina mostra de estima.

— É verdade — insistiu Poirot. — Você sempre me ajuda, me traz sorte. E me inspira.

— E posso saber qual foi a inspiração dessa vez?

— Enquanto me fazia certas indagações a mim mesmo me lembrei de uma observação sua, Hastings, um comentário muito leve sobre algo bastante simples e claro. Já lhe disse certa vez que você tem um talento especial para enunciar o que é óbvio. E foi justamente esse óbvio que deixei de lado até aqui.

— Qual foi essa brilhante observação de minha autoria?

— Ela torna tudo claro como cristal. Entrevejo as respostas a todas as minhas indagações. A razão da morte da sra. Ascher, que, na verdade, cheguei a vislumbrar há tempos, o motivo para a eliminação de Sir Carmichael Clarke, a razão do crime de Doncaster e, por fim, algo sumamente importante, *o motivo em relação a Hercule Poirot.*

— Poderia ter a gentileza de me explicar?...

— Não agora. Preciso primeiro de mais uma pequena informação. E poderei obtê-la de um dos membros de nossa Legião Especial. Aí então... *quando tiver conseguido a resposta a uma certa indagação, irei ver o ABC.* Estarão frente a frente por fim ABC e Hercule Poirot... os adversários.

— E então?

— E então... teremos uma conversa! — retrucou Poirot. — *Je vous assure*, Hastings, nada é tão perigoso do que uma conversação *para alguém que tem algo a esconder*! Como me disse certa vez um velho e sábio francês, a fala é uma invenção do homem para impedi-lo de pensar. E é também um meio infalível de se descobrir o que ele deseja ocultar. Um ser humano, Hastings, não pode resistir diante da oportunidade que uma conversa lhe dá de se revelar e expressar sua personalidade. Cada vez ele revelará mais coisas e se deixará trair.

— Que espera que Cust lhe diga?

Hercule Poirot sorriu e respondeu:

— Uma mentira. E, por meio dela, saberei a verdade!

32

Poirot caça uma raposa

DURANTE OS PRÓXIMOS TRÊS DIAS, Poirot andou muito ocupado. Saía sem dizer aonde ia, falava muito pouco, mergulhado em suas reflexões, e se recusava firmemente a satisfazer minha natural curiosidade sobre a ideia luminosa que, segundo ele, eu lhe inspirara, mas que agora parecia coisa do passado.

Não fui convidado a acompanhá-lo em nenhuma de suas misteriosas idas e vindas, fato este que de certo modo me magoou.

Já no fim da semana, contudo, ele me disse que pretendia fazer uma visita a Bexhill e arredores, e sugeriu que eu o acompanhasse. Não é preciso dizer que aceitei com grande alegria o convite.

Mas esse convite, como descobri logo, não se estendera a mim apenas. Os membros de nossa Legião Especial também foram convidados.

Tanto quanto eu, eles estavam intrigados com o pedido de Poirot. No entanto, ao final do dia, eu teria de qualquer modo uma noção do rumo seguido pelos pensamentos de Poirot.

Primeiro, ele visitou o casal Barnard e obteve uma informação exata da mãe de Megan sobre a hora em que o sr. Cust batera à sua porta para vender meias e o que ele dissera. Depois, foi ao hotel onde Cust se hospedara de passagem e conseguiu uma descrição pormenorizada da sua saída dali. Pelo que pude observar, nenhum fato novo resultara dessas investigações, mas Poirot parecia muito satisfeito.

A seguir, foi à praia, observar de perto o trecho exato onde o corpo de Betty Barnard fora encontrado. Pôs-se então a andar em círculos por alguns minutos, observando a areia atentamente. Não consegui ver a utilidade disso, já que a maré cobria o local duas vezes por dia.

Já me habituara, contudo, em meu convívio com Poirot, a perceber que suas ações eram comumente ditadas por uma ideia, por mais absurdas que viessem a parecer.

E agora eu o via caminhar da praia ao ponto mais próximo em que um carro poderia estacionar. Dali voltou de novo ao local onde os ônibus de Eastbourne faziam ponto antes de deixarem Bexhill.

Finalmente, ele nos levou ao *Ginger Cat*, onde tomamos um chá já meio velho servido pela gorducha garçonete, Milly Higley.

Poirot cumprimentou a garota usando um linguajar galês meio preciosista e aludindo aos seus tornozelos.

— As pernas das inglesas... são sempre tão finas! Mas, você, Mademoiselle, tem pernas perfeitas. Têm forma... têm um charme!

Milly Higley riu baixinho, dengosa e lhe disse para não exagerar. Ela sabia da fama dos "franceses".

Poirot não se incomodou com a troca de nacionalidade e nem corrigiu a garota. Meu velho amigo belga lançou um olhar tão malicioso para a jovem que eu até me senti surpreso e quase chocado.

— *Voilà* — disse Poirot —, já terminei a minha visita a Bexhill. Agora, irei a Eastbourne. Apenas para uma breve investigação. É desnecessário que vocês todos me acompanhem. Antes, voltaremos ao hotel e tomaremos um drinque. Esse chá Carlton daqui é abominável!

Quando já saboreávamos um uísque, Franklin Clarke disse de modo curioso:

— Acho que podemos imaginar o que está pretendendo. Procura invalidar aquele álibi de Cust. Mas só não posso entender por que está tão satisfeito. Afinal, não conseguiu apurar nada de novo que justifique tal atitude.

— Não consegui, é verdade.

— Bem, então?

— Paciência. Tudo se consegue, no devido tempo.
— Parece contente consigo mesmo, de certo modo.
— Nada até agora contradisse uma pequena ideia que eu tive, eis o motivo da minha satisfação.

Sua expressão se fez mais séria ao dizer:

— Meu amigo Hastings me contou certa vez que, quando jovem, praticara um jogo chamado A Verdade. É um jogo onde a cada um dos participantes são feitas três perguntas, duas das quais devem ser respondidas com toda sinceridade. A terceira poderia ser excluída dessa obrigatoriedade. Claro que tais perguntas eram as mais indiscretas possíveis. Mas para entrar no jogo todos tinham que jurar que só diriam a verdade, nada mais que a verdade.

Poirot fez uma pausa.

— Bem? — disse Megan.

— *Eh bien...* eu desejo jogar esse tipo de jogo. Apenas não será necessário formular três perguntas. Uma será suficiente. Uma pergunta para cada um de vocês.

— Nós responderemos, naturalmente — disse Clarke, impaciente.

— Ah, mas para mim isso tem um cunho mais sério. Todos vocês juram dizer a verdade?

Aquilo fora dito com expressão tão solene que os demais, intrigados, assumiram um ar sério também. E todos prestaram o juramento solicitado.

— *Bon* — disse Poirot, incisivo. — Podemos começar...

— Estou pronta — disse Thora Grey.

— Ah, primeiro as damas... mas dessa vez deixaremos a cortesia de lado. Começaremos de outra maneira. — E voltou-se para Franklin, perguntando: — Que acha, *mon cher* sr. Clarke, dos chapéus usados pelas senhoras elegantes em Ascot nessa temporada?

Franklin Clarke o olhou curioso.

— Isso é uma brincadeira?

— Certamente que não.

— Então, faz a pergunta a sério?
— Sim
Clarke sorriu ao retrucar:
— Bem, sr. Poirot, não estive realmente em Ascot, mas pelo que pude notar ao vê-las em seus carros, as mulheres usavam chapéus muito mais pitorescos esse ano do que os modelos que usam comumente.
— Extravagantes?
— Completamente.
Poirot sorriu e se dirigiu então a Donald Fraser.
— Quando tirou suas férias desse ano, Monsieur?
Foi a vez de Fraser expressar surpresa.
— Minhas férias? Na primeira quinzena de agosto.
Fraser contraiu os lábios. Imaginei que a pergunta lhe trouxera à mente a perda da jovem a quem amara.
Mas Poirot não pareceu prestar muita atenção à resposta do rapaz. Voltou-se para Thora Grey e aí notei alguma diferença em sua entonação. Tornara-se mais premente. A pergunta soou incisiva e clara:
— Mademoiselle, na eventualidade da morte de Lady Clarke, aceitaria ter se casado com Sir Carmichael, se ele lhe pedisse?
A moça protestou com veemência.
— Como ousa me fazer tal pergunta. Isso é... é insultante!
— Talvez. Mas como jurou dizer a verdade. *Eh bien...* Sim ou não?
— Sir Carmichael se comportava maravilhosamente bem comigo e foi muito bom para mim. Tratava-me como se eu fosse sua filha. E era assim que eu me sentia em relação a ele, afeiçoada e reconhecida.
— *Pardon*, mas ainda não respondeu sim ou não, Mademoiselle.
Ela hesitou, antes de replicar:
— Claro que a resposta é não!
Poirot não fez comentários. Disse apenas:
— Obrigado, Mademoiselle.

Voltou-se para Megan Barnard, cujo rosto estava muito pálido. Estava meio tensa como se estivesse se submetendo a uma prova.

A voz de Poirot soou como o estalo de um chicote.

— Mademoiselle, na sua opinião, que resultado terão as minhas investigações? Deseja que eu descubra a verdade... ou não?

Aprumou a cabeça com altivez. Eu estava praticamente seguro quanto a sua resposta. Sabia que Megan tinha uma paixão quase fanática pela verdade.

Por isso mesmo, sua resposta em tom claro e firme me deixou estupefato.

— Não!

A surpresa foi geral. Poirot se inclinou um pouco, observando-a com atenção.

— Mademoiselle Megan — disse por fim Poirot —, pode recear a verdade, mas, *ma foi*, deve dizê-la!

Voltou-se então para a porta e aí, recuperando a serenidade, disse a Mary Drower.

— Diga-me, *mon enfant*, tem um namorado?

Mary, que parecia apreensiva, olhou-o inquieta e meio corada.

— Oh, sr. Poirot. Eu... bem, não estou bem certa disso.

Ele sorriu.

— *Alors c'est bien, mon enfant.*

Olhou então para mim, dizendo:

— Agora iremos a Eastbourne, Hastings.

O carro estava à nossa espera e logo seguíamos pela estrada costeira que leva a Eastbourne passando por Pevensey.

—Valeria a pena perguntar algo a você agora?

— Não nesse momento, Hastings. Tente tirar suas próprias deduções como estou fazendo.

Mergulhei em silêncio.

Poirot, que parecia contente consigo mesmo, pôs-se a cantarolar baixinho uma toada. Ao passarmos por Pevensey, ele sugeriu uma parada para que pudéssemos ver de perto o castelo.

Quando voltávamos para o carro, paramos um instante para observar um grupo de crianças — escoteiras de oito a 11 anos, como deduzi pela sua disciplina mesmo ao brincar — que cantavam uma modinha, com suas vozes finas e meio desafinadas...

— O que a letra quer dizer, Hastings? Não consigo apanhar o sentido das palavras.

Prestei mais atenção até gravar o refrão:

"... E cacei uma raposa,
colocando-a numa caixa.
E nunca a deixei escapar."

— "E cacei uma raposa, colocando-a numa caixa e nunca a deixei escapar!" — repetiu Poirot.

Sua expressão se tornara de repente grave e severa.

— Isso é realmente terrível, Hastings. — Fez uma pausa antes de acrescentar: — Caçam raposas aqui?

— Não sei. Nunca tive condições para me dedicar à caça. E acho que não há muito para se caçar nessa parte do mundo.

— Me referia à Inglaterra de modo geral. Eis um estranho esporte. Fica-se à espera num lugar coberto e então se ouve o grito do caçador ao avistar a raposa, não é assim?... E a corrida começa, através do campo, sobre cercas e valas, e atrás da raposa lá se vão todos... algumas vezes a raposa se esquiva, mas os cachorros...

— Cães de caça!

— ... os cães de caça seguem sua pista, e por fim a apanham e ela morre... rápida e horrivelmente.

— Suponho que seja cruel, mas, na realidade...

— A raposa se diverte com isso? Não diga *bêtises*, meu amigo. *Tout de même*, é melhor isso do que o tipo de morte sutil e cruel descrita na modinha cantada por essas crianças...

— Ser encerrada numa caixa, para sempre... Não, isso não é nada bom, sem dúvida.

Poirot assentiu com um gesto de cabeça. Então disse, em outro tom:

— Amanhã, farei uma visita a esse Cust. — E acrescentou para o motorista: — Volte para Londres.

— Mas não íamos a Eastbourne? — exclamei.

— Para quê? Já sei bastante a respeito do que me interessava.

33

ALEXANDER BONAPARTE CUST

NÃO ESTIVE PRESENTE À ENTREVISTA de Poirot com aquele estranho homem chamado Alexander Bonaparte Cust. Graças à sua ligação com a polícia e às circunstâncias incomuns do caso ABC, Poirot não teve dificuldades em obter uma autorização do Ministério do Interior, mas essa permissão não se estendia à minha pessoa, e era essencial também, na opinião de meu amigo, que tal entrevista fosse estritamente confidencial.

No entanto, Poirot me fez um relato tão detalhado do que se passara entre eles, que agora descrevo esse encontro como se o tivesse presenciado.

O sr. Cust parecia ter encolhido de repente. A curvatura de seu corpo se acentuara. Não parava com as mãos e seus dedos deslizavam mecanicamente pelo paletó.

Imagino que, por alguns instantes, Poirot nada dissese.

Sentado, ele fitava o homem à sua frente.

O clima era repousante, de efeito calmante, cheio de ilimitada despreocupação...

Deve ter sido um momento dramático, o do encontro dos dois adversários do longo drama. Se estivesse no lugar de Poirot, eu teria sentido o impacto dramático.

Mas Poirot era essencialmente prático, realista. E agora estava interessado em causar um certo efeito sobre o homem sentado diante dele.

Por fim, Poirot perguntou delicadamente:

— Sabe quem eu sou?

Cust moveu a cabeça em negativa.

— Não, eu não sei. A menos que seja o... como chamam mesmo?... auxiliar do sr. Lucas. Ou talvez venha da parte do sr. Maynard?

(Maynard e Cole eram os defensores públicos.)

Seu tom de voz era cortês, mas sem revelar interesse. Parecia imerso em profunda abstração.

— Eu sou Hercule Poirot...

Poirot emitiu tais palavras suavemente e aguardou a reação de Cust.

O prisioneiro ergueu um pouco a cabeça.

— Oh, sim?!

Soltou tal expressão de modo tão natural como o faria o inspetor Crome, mas sem o toque de arrogância comum neste.

Então, um minuto após, ele repetiu:

— Oh, sim? — Mas dessa vez com entonação diferente, denotando um interesse recém-despertado. Ergueu a vista e fitou Poirot.

Hercule Poirot sustentou aquele olhar e moveu a cabeça suavemente duas vezes.

— Sim. Sou o homem a quem você escreveu as cartas.

De súbito, o contato foi rompido. O sr. Cust baixou a vista e retrucou, com irritação e impaciência:

— Nunca lhe escrevi nada. Essas cartas não foram escritas por mim. Já estou cansado de repetir isso.

— Eu sei — disse Poirot. — Mas se não as escreveu, quem foi então?

— Um inimigo. Devo ter um inimigo. Estão todos contra mim. A polícia... todo mundo está contra mim. É um gigantesco complô.

Poirot não replicou.

Aí o sr. Cust acrescentou:

— De qualquer modo, todos têm me hostilizado... sempre.

— Mesmo quando era criança?

O sr. Cust pareceu refletir antes de responder:

— Não... não exatamente nessa fase. Minha mãe me queria muito. Mas era ambiciosa, demais até. Eis por que me pôs esses nomes próprios ridículos. Ela alimentava certa ideia absurda de que eu seria uma figura de grande renome nesse mundo. Estava sempre me incutindo essa ideia... falando que querer é poder... dizendo que qualquer um podia ser dono de seu destino... enfim, ela dizia que eu podia fazer tudo!

Fez uma pausa, antes de prosseguir:

— Ela estava inteiramente equivocada, é claro. Percebi isso por mim mesmo desde cedo. Não era o tipo de pessoa destinada a vencer na vida. Estava sempre cometendo tolices, tornando minha própria figura ridícula. E era tímido, tinha receio das pessoas. Passei um mau pedaço na escola, os garotos caçoavam de meus prenomes, costumavam me apoquentar ao repeti-los... E me saí muito mal na escola: nos jogos, no estudo e tudo mais.

Balançou a cabeça e continuou suas confidências.

— Para minha mãe foi até uma felicidade que tivesse morrido cedo. Ela teria ficado muito desapontada... Mesmo quando já frequentava o curso comercial me mostrei medíocre; custei mais a aprender taquigrafia e datilografia do que qualquer outra pessoa. E, no entanto, não *me sentia* como um ignorante, o senhor me entende?

Lançou um súbito apelo com o olhar para seu ouvinte.

— Entendo o que está dizendo — disse Poirot. — Prossiga.

— Veio-me justamente aquela impressão de que todos me *julgavam* estúpido. Uma sensação muito inibidora. E aconteceu a mesma coisa quando fui trabalhar num escritório.

— E tal sentimento prosseguiu durante a guerra? — indagou Poirot.

O olhar do sr. Cust se iluminou de repente.

— O senhor sabe, eu apreciei a guerra. Tive então uma experiência diferente. Senti-me, pela primeira vez, como um homem igual aos outros. Estávamos todos na mesma enrascada. E eu era tão bom ali como qualquer outro.

Seu leve sorriso logo desapareceu.

— E então sofri aquele ferimento na cabeça. Coisa leve. Mas eles descobriram que eu era sujeito a convulsões... Eu sempre sentira, é claro, que havia ocasiões em que não sabia bem o que estava fazendo. Lapsos de memória, o senhor sabe. E, naturalmente, por uma ou duas vezes sofrera esses acessos. Mas não acho realmente que deviam me dar baixa por causa disso. Não, penso que não foi certo.

— E mais tarde? — perguntou Poirot.

— Consegui um lugar de vendedor numa loja. Naturalmente que para começar, servia. E eu já me sentia melhor após a guerra. Mas não consegui progredir como esperava. Na hora das promoções era sempre passado para trás. Não saía do mesmo lugar. As coisas foram ficando cada vez mais difíceis... principalmente quando ocorreu a Depressão. Para ser franco, tive que me esforçar bastante para me manter vivo; e o senhor sabe que um indivíduo que lida com o público tem que se mostrar apresentável. Foi quando me surgiu aquela oportunidade como vendedor de meias. Ganharia um salário e comissões!

Poirot disse suavemente:

— Mas deve saber, claro, que a firma da qual o senhor se diz empregado nega esse fato?

O sr. Cust se enervou novamente.

— É por que estão conspirando também contra mim... devem fazer parte da trama.

Tomou fôlego antes de acrescentar:

— Eu recebi um documento que vale como prova do que digo. Tenho cartas que eles me enviaram, dando-me instruções sobre os lugares aonde eu devia ir e uma lista de possíveis fregueses.

— Mas não se trata de cartas *escritas* do próprio punho e sim *batidas à máquina*. Não têm valor como prova.

— É a mesma coisa. Naturalmente, as cartas expedidas por uma grande firma de artigos manufaturados são datilografadas.

— O senhor não sabe que uma máquina de escrever pode ser identificada? Todas aquelas cartas foram batidas numa certa máquina.

— Que tem isso?

— E essa máquina era sua... a única que foi encontrada em seu quarto.

— Ela me foi enviada por essa mesma firma quando comecei a trabalhar para eles.

— Sim, mas essas cartas foram remetidas *depois*. Sendo assim, tem-se a impressão, não acha, de que *você mesmo as redigiu e depois as expediu para si mesmo?*

— Não, não! Isso tudo faz parte do complô contra mim!

Nova pausa e, então, o sr. Cust acrescentou de repente:

— Além do mais, as cartas deles *devem* ser escritas no mesmo tipo de máquina.

— Da mesma *marca*, mas não exatamente a mesma máquina que foi encontrada com o senhor.

O sr. Cust repetia obstinadamente:

— Isso é um complô!

— E os exemplares do guia ABC que foram achados no seu armário?

— Nada sei sobre eles. Pensei que todas aquelas caixas só contivessem meias.

— Por que assinalou o nome da sra. Ascher naquela primeira lista de pessoas a visitar em Andover?

— Porque resolvi começar por ela. É preciso começar por algum lugar.

— Sim, isso é verdade. *É preciso começar por algum lugar.*

— Não disse nesse sentido! — retrucou o sr. Cust. — Não quis dizer o que o senhor está imaginando!

— *Então sabe o que estou pensando?*

O sr. Cust não replicou. Estava muito agitado.

— Eu não fiz isso! Sou inteiramente inocente! Estão todos enganados. Veja, por exemplo, o segundo crime... o de Bexhill.

Eu estava jogando dominó em Eastbourne na ocasião. Tem que admitir!

Sua entonação de voz denotava animação agora.

— Sim — disse Poirot. Sua voz era serena, macia. — Mas é tão fácil, não concorda, cometer um engano quanto a datas? E, no caso de um homem tão obstinado e incisivo como o sr. Strange, ele nunca admitiria a possibilidade de ter se equivocado. É o tipo de homem a que se aplica a frase: "O que eu digo você pode assinar em baixo..." E quanto ao livro de registro do hotel, é fácil colocar a data errada quando se está assinando... e provavelmente não se dará pelo engano na ocasião.

— Eu estava jogando dominó naquela noite!

— Acredito que jogue muito bem dominó.

O sr. Cust ficou um pouco sensibilizado com tal observação.

— Eu... eu... bem, creio que sim.

— É um jogo muito absorvente, não é mesmo? E exige muita habilidade?

— Oh, há um bocado de jogadas a fazer, muitas! Costumávamos jogar umas partidas lá na cidade, na hora do lanche. O senhor ficaria surpreso com o número de curiosos que se juntam para apreciar uma partida de dominó.

Riu baixinho, mais para si mesmo.

— Me lembro de um homem, que nunca esqueci por causa de algo que me disse. Nós trocamos algumas palavras enquanto tomávamos café e logo depois o assunto dominó era abordado. Bem, depois de uns vinte minutos, era como se já conhecesse aquele homem há anos.

— E que foi que ele lhe contou de especial? — perguntou Poirot.

Uma sombra passou pelo olhar do sr. Cust antes que respondesse:

— Ele fez uma espécie de profecia... muito sombria. Falou dessa história de o nosso destino estar escrito em nossa mão. Ele mostrou a sua e as linhas que indicavam que escaparia duas vezes de morrer afogado. E realmente escapara duas vezes de perecer dessa forma. Então, me fitou e pediu para ler minha mão. Disse coisas surpreendentes. Falou que antes de morrer, eu me tornaria um dos homens mais conhecidos da Inglaterra. Declarou que o país inteiro falaria a meu respeito. Mas também disse que... — Aí a voz lhe faltou.

— Sim?

O olhar de Poirot tinha um sereno magnetismo. O sr. Cust o fitou, desviou a vista e voltou a olhá-lo como um coelho hipnotizado.

— Ele disse... disse que as linhas da minha mão pareciam indicar que eu morreria de morte violenta. Aí riu e acrescentou: "Quase se pode imaginá-lo sendo enforcado", e então voltou a rir e disse que se tratava apenas de uma brincadeira...

Cust se calou de repente. Seu olhar se libertou do de Poirot e se tornou esgazeado.

— Minha cabeça, ela me incomoda demais... as dores que sinto nela são por vezes muito fortes. E há ocasiões em que não sei de mim... e quando isso acontece...

Baixou a cabeça, arrasado.

Poirot se inclinou para a frente e falou com suavidade, mas bastante persuasivo:

— *Mas você sabe, não sabe, que cometeu aqueles crimes?*

O sr. Cust ergueu os olhos. Seu olhar era agora claro e direto. Toda a resistência que mantivera até ali desaparecera. Seu olhar era estranhamente sereno agora.

— Sim — murmurou. — Eu sei.

— Mas tenho razão ou não em pensar que *você não sabe* por que *os cometeu*?

O sr. Cust moveu sua cabeça, respondendo:

— Não, eu não sei.

34

POIROT ESCLARECE O CASO

ESTÁVAMOS TODOS SENTADOS, ansiosos para ouvir a explicação definitiva de Poirot do caso ABC.

— Desde o princípio — começou Poirot —, me preocupei com o *porquê* desses crimes. Outro dia, Hastings me disse que o caso estava encerrado. Repliquei que o caso era o homem! O mistério *não era o enigma desses assassinatos*, mas sim o *mistério do ABC*. O motivo que o levara a cometer esses crimes. Por que ele *me* escolheu como seu adversário?

"Não constituía uma resposta válida se dizer que esse homem era mentalmente desequilibrado. Declarar que um homem faz coisas insensatas porque é louco denota falta de inteligência e idiotice. Um louco é tão lógico e racional em suas ações como um homem mentalmente são, *isso de acordo com seu ponto de vista peculiar e retorcido*. Por exemplo, se um homem insiste em sair à rua ou ficar sentado numa espécie de cela, de cócoras, usando apenas uma túnica branca, sua conduta parecerá a de um excêntrico. Mas se soubermos *que tal indivíduo está firmemente convicto de ser o Mahatma Gandhi*, aí então seu modo de proceder parecerá perfeitamente racional e lógico.

"O que se fazia necessário nesse caso era imaginar uma mente assim constituída *que fosse lógica e racional para poder cometer quatro ou mais crimes* e anunciá-los previamente através de cartas escritas a mim.

"Meu amigo Hastings deve ter dito a vocês que a partir do momento em que recebi a primeira carta, me senti inquieto e preocupado. Achei que havia alguma coisa errada, fora de lugar naquela mensagem."

— Estava inteiramente certo — disse Franklin Clarke, secamente.

— Sim. Mas foi ali, naquele limiar do caso, que cometi um grave erro. Permiti que meu sentimento de estranheza, aliás bem forte, a respeito da carta, ficasse relegado a uma mera impressão momentânea. Eu a encarei como se tivesse sido uma simples intuição. E numa mente bem-equilibrada, racional, não há lugar para coisas como uma intuição, um palpite inspirado! *Podemos* supor, naturalmente, e uma suposição ou um palpite podem estar certos ou não. Se der certo, aí a chamaremos de intuição. Se não for correta, então ninguém tocará no assunto de novo. Mas o que se *denomina comumente intuição é na realidade uma impressão baseada na dedução lógica ou experiência*. Quando um perito sente que há algo errado em relação a um quadro, uma peça de mobiliário antigo ou assinatura aposta a um cheque, ele está apoiando realmente essa percepção numa série de pequenos indícios e detalhes. Não tem nenhuma necessidade de se aprofundar em minúcias (sua experiência lhe permite isso), pois resulta claro *a impressão bem-definida de que alguma coisa ali está errada*. Mas não se trata de uma *suposição*, mas sim de uma impressão baseada na experiência.

"*Eh bien*, reconheço que não encarei aquela primeira carta como deveria fazê-lo. Sentia-me realmente desconcertado. A polícia a encarou como uma mistificação. Quanto a mim, levei-a muito a sério. Estava convencido de que o crime ocorreria em Andover como fora anunciado. Com sabem, um crime *requer* um local.

"Não havia meios então, como pude perceber, de saber quem era a *pessoa* que cometera a proeza. O único caminho a meu dispor seria o de tentar compreender que tipo de pessoa teria feito aquilo.

"Dispunha de algumas indicações. A carta, o estilo do crime, a pessoa assassinada. O que eu tinha de descobrir era o motivo do crime, o motivo daquela carta."

— Ânsia de publicidade — sugeriu Clarke.

— Certamente um complexo de inferioridade disfarçado — acrescentou Thora Grey.

— Foi essa, naturalmente, a orientação que parecia mais óbvia. Mas por que fui *eu o* alvo? *Por que Hercule Poirot?* A promoção poderia ser bem maior se ele tivesse enviado as cartas para a Scotland Yard. E mais ainda se as endereçasse a um jornal. Este não iria publicar a primeira carta, mas com a consumação do segundo crime, o ABC teria obtido toda a publicidade que a imprensa pudesse empreender. Por que, então, escolher Hercule Poirot? Seria por alguma razão *pessoal*? Na carta era possível notar um leve toque de hostilidade contra os estrangeiros, mas não o suficiente para me satisfazer como explicação do caso.

"Então, veio a segunda carta, a que se seguiu o assassinato de Betty Barnard, em Bexhill. Tornou-se claro, então, como eu já havia suspeitado, que os crimes deviam se consumar de acordo com o sistema alfabético, mas tal fato, que pareceu decisivo para a maioria das pessoas, não alterou a questão principal para mim. Por que o ABC *precisava* cometer esses crimes?"

Megan Barnard se moveu em sua cadeira, dizendo:

— Não seria por algo assim como... uma sede de sangue?

Poirot se voltou para a moça, observando:

— Tem razão, Mademoiselle. *Existe* tal coisa. Mas essa vontade irresistível de matar não explica adequadamente os aspectos desse caso. Um maníaco homicida que anseia matar comumente deseja eliminar *o maior número possível de vítimas*. É um *desejo mórbido* recorrente. A aspiração maior de um criminoso desse tipo é *encobrir seus rastros*, e não *anunciá-los*. Quando ponderamos sobre as quatro vítimas selecionadas, ou pelo menos três, já que conheço muito pouco sobre os srs. Downes e Earlsfield, chegamos à conclusão de que, se *as tinha escolhido*, o assassino podia ter dado sumiço nelas sem incorrer em qualquer suspeita. Franz Ascher, Donald Fraser ou Megan Barnard, e possivelmente o sr. Clarke, seriam estas as pessoas de quem a polícia deveria suspeitar, mesmo se não fosse possível obter uma prova conclusiva. Não se teria pensado num maníaco homicida desconhecido! Por que, então, o assassino achou necessário chamar a atenção sobre sua pessoa? Havia necessidade de deixar junto a cada um dos cadáveres um exemplar do guia de trens ABC? Era *essa* a compulsão? Haveria algum complexo associado *com o guia ferroviário*?

"Achei inteiramente inviável por esse prisma *penetrar na mente do assassino*. O motivo não poderia ser de algum modo certa magnanimidade? Talvez o desgosto por ver que a responsabilidade do crime recairia sobre uma pessoa inocente?

"Embora eu não conseguisse resposta para a indagação principal, achei que estava aprendendo algumas coisas a respeito do criminoso."

— Tais como? — perguntou Fraser.

— Para começar, ele tinha uma mente de tabulador. Seus crimes foram planejados segundo uma progressão alfabética, obviamente importante para ele. Por outro lado, não seguia um gosto pessoal na escolha das vítimas; a sra. Ascher, Betty Barnard, Sir Carmichael Clarke, todos difeririam bastante uns dos outros. Não havia nenhum sinal de complexo sexual nem relativo à idade, o que me pareceu um detalhe bem curioso. Se um homem mata de modo indiscriminado isso pode ocorrer comumente por que ele busca eliminar qualquer um que se põe em seu caminho ou o incomoda. *Mas a progressão alfabética demonstrava não ser esse o caso*. O outro tipo de criminoso normalmente escolhe *um tipo particular de vítima*, quase sempre do sexo oposto. Havia alguma coisa fortuita no procedimento do ABC que me parecia conflitar com a seleção alfabética.

"E me dei ao luxo então de fazer uma pequena suposição. A escolha feita pelo ABC me sugeriu o que chamaria de um *homem com fixação em trens*. Isso é mais comum nos homens que nas mulheres. Meninos gostam mais de trens do que as meninas. Teríamos aí também um indício de uma mentalidade não amadurecida. A sombra do 'menino' ainda predominava.

"A morte de Betty Barnard e a configuração do crime me forneceram algumas outras indicações. O estilo do assassinato foi particularmente sugestivo."

Fez uma pausa muito breve antes e depois de dizer:

— Perdoe-me, sr. Fraser. Para começar, ela foi estrangulada com seu próprio cinto, portanto era quase certo de que fora morta por alguém a quem conhecia ou era seu namorado. Quando pude conhecer algo sobre seu caráter elaborei um retrato da situação em minha mente.

"Betty Barnard era namoradeira. Gostava de chamar a atenção dos rapazes para ela. Portanto, para persuadi-la a sair com ele, o ABC devia ter uma certa dose de atração... de *sex appeal*! Capaz, como dizem vocês, ingleses, de 'fazer perder a cabeça'. Ele tinha que ser bem-sucedido! É assim que imagino a cena na praia: o homem aprecia o cinto da moça. Ela o tira e aí, ele, em tom de brincadeira, passa-o em volta do seu pescoço, dizendo, talvez: 'Vou enforcar você.' Tudo com um toque brincalhão ainda. Mas então ela começa a sufocar, e ele aperta mais..."

Donald Fraser se moveu. Estava lívido.

— Sr. Poirot... por favor.

Poirot fez um gesto rápido.

— Está terminado o que queria dizer sobre esse ponto. Não tocarei mais nele. Passemos ao assassinato seguinte, ao de Sir Carmichael Clarke. Neste, o criminoso retomou o seu método inicial: o golpe desferido na cabeça da vítima. E o mesmo complexo alfabético, mas com um detalhe que me desconcertou um pouco. Para ser consequente, o assassino devia ter escolhido as cidades também numa sequência definida.

"Se Andover é o nome que aparece após outros 154 na letra A, então o crime B deveria ser o 155º também, ou então o de n° 156 e o C o 157. Aqui novamente as cidades onde se deram os crimes parecem ter sido escolhidas especialmente ao *acaso*."

— Não estaria vendo as coisas por esse prisma por causa de seu modo de ser, Poirot? Afinal, você é normalmente muito metódico e ordenado. Isso em você é quase uma doença — insinuei.

— Não, *não* é uma doença! *Quelle idée!* Mas admito que tenha enfatizado demais esse detalhe. *Passons!*

"O crime de Churston não me ofereceu indícios que ajudassem a elucidar a questão. Não tivemos sorte também, já que a carta de aviso sofreu um extravio, impedindo a tomada de providências imediatas.

"Mas na ocasião em que o crime D foi anunciado, um amplo sistema de defesa já fora acionado. Seria natural prever que o ABC não poderia prosseguir adiante com seus crimes.

"Além disso, foi então que obtive a pista das meias. Era perfeitamente claro que a presença de um indivíduo vendendo meias no local do crime ou imediações não podia ser uma coincidência. Assim, o vendedor de meias devia ser o assassino. Devo dizer que a descrição desse indivíduo, como me foi feita pela srta. Grey, não correspondia absolutamente à ideia que eu fizera do homem que estrangulara Betty Barnard."

Poirot fez uma breve pausa antes de prosseguir:

— Essa etapa iria ser logo superada porque um quarto crime fora cometido então. A vítima se chamava George Earlsfield, supostamente assassinado por engano, já que o alvo do assassino seria um certo sr. Downes, praticamente da mesma constituição física e que se sentara perto de George no cinema.

"*E aí, por fim, a maré da sorte mudou.* Os acontecimentos antes favoráveis ao ABC se voltam contra ele. É identificado, caçado e, por fim, preso. Como diz Hastings, o caso é encerrado!

"No que interessa à opinião pública isso é exato. O homem está na prisão agora e deverá, não há dúvida, ir para Broadmoor. Não haverá mais outros assassinatos. *Finis!* Ponto final!

"*Mas não para mim!* Não sei nada, nada mesmo! Ignoro o *porquê* e o *para quê*. E há ainda um detalhe bem incômodo. O sr. Cust tem um álibi para a noite do crime de Bexhill."

— É o que me tem intrigado o tempo todo — disse Franklin Clarke.

— Comigo também ocorreu o mesmo. Porque esse álibi tem toda a aparência de *autenticidade*. Mas não poderia ser genuíno a não ser... e aqui chegamos a duas suposições bem interessantes.

"Suponhamos, meus amigos, que embora Cust tivesse cometido *três* daqueles assassinatos — o A, o C, e o D — *não houvesse cometido o crime B*."

— Sr. Poirot, isso não é...

Poirot fez Megan Barnard se calar com um olhar.

— Calma, Mademoiselle. Estou em busca da verdade, acredite! Tenho lidado com mentiras e mentirosos e sei reconhecê-los. Bem, suponhamos, eu dizia, *que o ABC não cometeu o segundo crime*. Este ocorreu, devem se lembrar, nas primeiras horas do dia 25, data anunciada pelo próprio criminoso. Mas suponhamos que alguém se antecipasse a ele? Em tais circunstâncias, o que o nosso homem faria? Cometer um *segundo* assassinato, ou aguardar outra oportunidade e *aceitar o primeiro crime como uma espécie de presente macabro*?

— Sr. Poirot! — exclamou Megan. — Essa é uma ideia fantasiosa! Todos esses crimes *devem* ter sido cometidos pela mesma pessoa!

Poirot não tomou conhecimento do aparte e prosseguiu imediatamente.

— Tal hipótese teve o mérito de esclarecer um detalhe: *a discrepância existente entre a personalidade de Alexander Bonaparte Cust*, que nunca faria nenhuma garota perder a cabeça por ele, *e a personalidade do assassino de Betty Barnard*. E como já é sabido, esses aspirantes a assassinos *têm* tirado vantagem dos crimes cometidos por outras pessoas. Nem todos os crimes atribuídos a Jack, o Estripador foram por ele praticados. Até aí, tudo bem. Mas então me defrontei com uma dificuldade específica.

"Até a ocorrência do assassinato da srta. Barnard, *nenhum detalhe sobre os crimes ABC viera a público*. O crime de Andover despertara um interesse mínimo. O detalhe do guia de trens encontrado aberto junto ao cadáver nem sequer foi mencionado nos jornais. De onde se conclui que quem quer que tivesse matado Betty Barnard *devia ter acesso a fatos conhecidos somente por certas pessoas*: eu, a polícia, e alguns parentes e vizinhos da sra. Ascher.

"Essa linha de investigação parecia me conduzir a um paredão branco e sem brechas..."

Os rostos voltados para Poirot estavam brancos também. Brancos e confusos.

Donald Fraser disse em tom sentencioso:

— Os membros da polícia, afinal de contas, são seres humanos. E são homens de boa aparência... — interrompeu-se e olhou com ar interrogativo para Poirot.

Meu amigo sacudiu a cabeça devagar.

— Não, é algo mais simples do que isso. Eu lhes disse que havia uma segunda hipótese. Pois bem, suponhamos que Cust *não* fosse responsável pela morte de Betty Barnard? Suponhamos que *outra pessoa* a matou. Poderia esse alguém ter sido responsável *pelos outros crimes também?*

— Mas isso não faz sentido! — exclamou Clarke.

— Não mesmo? Fiz então *o que devia ter feito de início*. Examinei as cartas que recebera de um ângulo totalmente diverso. Sentira desde o princípio que havia algo de errado com elas, exatamente como um *expert* em pintura conhece que um determinado quadro é uma imitação...

"Eu tinha dado como certo, sem parar para refletir, que o erro existente nas cartas residia no fato de terem sido escritas por um doente mental. Mas, ao reexaminá-las, cheguei a uma conclusão totalmente diversa. *O que havia de errado nelas era o fato de terem sido escritas por um homem normal!*

— O quê?! — exclamei.

— Sim, exatamente como eu disse! Elas soavam falso como uma tela falsa justamente *porque elas eram uma fraude!* Eram pretensamente cartas escritas por um louco, um lunático homicida, mas na realidade a coisa era bem diferente.

— Isso não faz sentido — repetiu Franklin Clarke.

— *Mais si!* Deve raciocinar, refletir. Qual o objetivo do criminoso ao escrever tais cartas? Focalizar a atenção sobre o autor das mesmas, chamar a atenção para os assassinatos! *En verité*, à primeira vista, isso não parecia fazer sentido. Mas aí então discerni a verdade. Tratava-se de chamar a atenção sobre vários crimes, um *grupo* deles... Não foi o vosso grande grande Shakespeare quem disse: "Não se vê as árvores mas a floresta?"

Não quis corrigir a citação literária feita por Poirot. Estava muito preocupado em captar a linha de seu raciocínio. Tive então um vislumbre da questão. Mas ele prosseguiu:

— Quando se presta atenção num insignificante alfinete? Quando está numa alfineteira! Quando alguém se apercebe de um crime comum, isolado? Só quando ele se torna parte de *uma série de crimes interligados*.

"Sim, eu estava às voltas com um criminoso extremamente astuto, cheio de inventiva, indiferente, ousado e um jogador consumado. *Não* alguém como o sr. Cust! Ele nunca cometeria aqueles assassinatos! Não, eu tinha de pensar numa personalidade bem diferente, alguém com um temperamento de garoto — como atestavam as cartas com um toque escolar e o guia de trens —, um homem atraente para as mulheres, com um cruel desrespeito pela vida humana... enfim, um homem que fora necessariamente uma figura proeminente em *um* daqueles crimes!

"Consideremos agora as indagações imediatas que a polícia costuma fazer quando ocorre um assassinato. Oportunidades: onde determinada pessoa estava na ocasião do crime? Motivo: quem se beneficiaria com a morte da vítima? Se o motivo e a oportunidade são muito óbvios, o que o suposto assassino deve fazer? Forjar um álibi, isto é, manipular o *tempo* de algum modo? Mas isso constitui sempre uma manobra fortuita. Nosso criminoso pensou em uma cobertura mais fantasiosa; criou um criminoso *involuntário*!

"Eu teria de reexaminar apenas os crimes já cometidos e descobrir o provável culpado. No crime de Andover, o suspeito parecia ser Franz Ascher, mas não podia imaginá-lo inventando e levando a cabo um plano tão elaborado nem conseguia encará-lo como capaz de premeditar um assassinato. E no de Bexhill? Bem, Donald Fraser era uma possibilidade. Tinha inteligência e capacidade, e um espírito metódico. Mas seu motivo para matar sua namorada só poderia ser ciúme, e tal sentimento não combina com premeditação. Também soube que ele tirara suas férias *no início de agosto*, o que tornava muito improvável sua participação no crime de Churston. E aqui chegamos ao assassinato de Churston... e aí entramos num terreno muito mais promissor.

"Sir Carmichael Clarke era um homem de muitas posses. Quem herdaria sua fortuna? Sua esposa, que está desenganada, achava-se desligada de tal interesse, portanto os bens iriam para as mãos de *seu irmão, Franklin*.

E Poirot se voltou devagar até que seu olhar se encontrou com o de Franklin Clarke.

— Já me sentia na direção certa. O homem que eu passara a conhecer desde algum tempo, de um modo subconsciente, *era o mesmo que eu conhecera pessoalmente. O ABC e Franklin Clarke eram uma só e a mesma criatura!* O mesmo temperamento aventureiro, o eterno viajante, com uma visão sempre parcial em relação à Inglaterra, demonstrada por ele vagamente na sua ironia a respeito dos estrangeiros. Com seu modo de ser independente e desinibido, nada mais fácil para ele do que deslumbrar uma garota numa lanchonete. O espírito metódico, afeito a classificações — eu o vi fazer certo dia uma lista, assinalando os principais itens do caso ABC — e finalmente o espírito meio infantil — mencionado por Lady Clarke e demonstrado ainda pelas suas preferências por certo tipo de novelas. Eu averiguei que na biblioteca da mansão Cambeside há um livro intitulado *The Railway Children*, de E. Nesbit. Em minha mente não restava mais nenhuma dúvida: o ABC, o homem que escrevera as cartas e cometera os crimes, era *Franklin Clarke*."

Clarke explodiu numa súbita risada.

— Muito engenhoso! E o que me diz de nosso amigo Cust, apanhado com a boca na botija? E quanto ao sangue no seu casaco? E a faca que ele escondeu onde morava? Ele pode negar que cometeu os crimes, mas...

Poirot o interrompeu:

— Aí é que se engana. Ele admite a evidência.

— Como? — Clarke o olhou realmente surpreso.

— Mas sim — disse Poirot suavemente. — Eu ainda não tinha dito que estou consciente de que Cust *se acredita culpado*.

— E nem isso satisfaz o ilustre sr. Poirot? — retrucou Clarke.

— Não. Porque assim que o vi *logo soube que ele não podia ser culpado*! Cust não tem o sangue frio nem a ousadia nem, devo acrescentar, *cérebro* para idear esquemas! Todo o tempo estive consciente da dupla personalidade do criminoso. Agora vejo em que ela consistia. Duas pessoas se envolveram no caso; o verdadeiro assassino, astuto, cheio de inventiva e audacioso, e o pseudocriminoso, simplório, hesitante e sugestionável.

"Sugestionável, eis aí a palavra que elucida o mistério do sr. Cust! Não lhe bastou, sr. Clarke, idear esse plano de uma *série* de crimes para distrair a atenção de um *único*. Tinha de conseguir também um bode expiatório.

"Acho que tal ideia nasceu em sua mente por ocasião de um encontro casual num bar da cidade com aquela estranha pessoa de nome bombástico. Naquela mesma ocasião, o senhor estava pensando num plano para assassinar seu irmão.

— É mesmo? E por quê?

— Porque estava seriamente preocupado com seu futuro. Não sei se o senhor percebeu que, ao me mostrar aquela carta escrita pelo seu irmão, estava se colocando em minhas mãos... Na referida carta, Sir Carmichael evidenciava claramente sua afeição e interesse pela srta. Thora Grey. Seu interesse poderia ser paternal, ou ele preferia encará-lo assim. No entanto, havia o perigo, muito real, de que, com a morte de Lady Clarke, Sir Carmichael, sentindo o peso da solidão, se voltasse para essa bela jovem, em busca de afeto e consolo e tudo terminasse, como é frequente com homens já idosos, em casamento. Seu medo, sr. Clarke, se acentuou por já conhecer a srta. Grey. O senhor é, segundo imagino, um excelente conhecedor do caráter das pessoas, ainda que meio cínico. Considerou assim, acertadamente ou não, que a srta. Grey era o tipo de moça "interesseira". Não tinha dúvidas de que ela deveria agarrar a oportunidade de se tornar a nova Lady Clarke. Seu irmão era muito rico e ainda robusto. Poderiam ter filhos e, assim, sua chance de herdar os bens de seu irmão desapareceria.

"No fundo, imagino que o senhor tenha sido até hoje um homem frustrado. Tem sido a personificação do ditado popular — 'pedra que rola muito não cria limo'. Você sentia uma rancorosa inveja da fortuna pessoal de seu irmão.

"Repito que seu encontro acidental com o sr. Cust lhe propiciou uma boa ideia depois de ter pensado em vários planos. Os prenomes extravagantes de Cust, sua confidência a respeito das crises epiléticas e dores de cabeça intermitentes, sua figura acanhada e quase insignificante lhe pareceu logo a ideal para instrumento de seus planos. O esquema alfabético brotou então em sua mente — as iniciais de Cust — o fato de que o nome de seu irmão começasse por C e que ele vivesse em Churston era o núcleo do esquema montado para o crime. Chegou mesmo ao extremo de prever para Cust seu provável destino final... embora dificilmente pudesse supor que tal sugestão viesse a dar o belo fruto que deu!

"Suas artimanhas foram excelentes. Em nome de Cust, escreveu a uma grande fábrica de artigos de malha, solicitando que remetessem aquelas meias para o endereço do mesmo. Aí, você enviou uma caixa semelhante às outras da fábrica, mas dessa vez contendo exemplares do guia ABC. Escreveu então uma carta a Cust, pretensamente datilografada na tal firma, oferecendo-lhe um bom salário e comissão para vender meias. Seus planos foram tão bem-previstos que datilografou todas as cartas a serem enviadas subsequentemente, *e então presenteou Cust com a mesma máquina em que elas tinham sido datilografadas.*

"Tinha agora de pensar em duas vítimas cujos nomes começassem com A e B, respectivamente, e que vivessem em lugares também iniciados com as mesmas letras.

"Fixou-se em Andover como sendo um local adequado e um reconhecimento preliminar o levou a escolher a loja da sra. Ascher como cenário do primeiro crime. O nome da proprietária estava bem visível na tabuleta da porta, e você já sabia por verificação pessoal que ela costumava ficar sozinha na loja. Matá-la era questão de frieza, ousadia e uma dose de sorte apenas razoável.

"Para a letra B houve necessidade de mudar de tática. Àquela altura, todas as donas de lojas que vivessem sozinhas já estariam alertas, certamente. Posso imaginá-lo como um frequentador de alguns bares e lanchonetes, rindo e dizendo frases interessantes para as garçonetes até descobrir uma cujo nome começasse com a letra certa, e que fosse a indicada para seus propósitos.

"Em Betty Barnard, você encontrou exatamente o tipo de garota que estava procurando. Levou-a para passear uma ou duas vezes, confidenciando-lhe que era um homem casado, e que os encontros deviam, assim, ser realizados de modo muito discreto.

"Então, tendo completado a parte preliminar do plano, pôs mãos à obra! Enviou a Cust uma lista de possíveis compradores residentes em Andover, dizendo-lhe para ir lá num dia determinado, e me remeteu então a primeira carta com a sigla 'ABC'.

"No dia marcado, você foi a Andover e matou a sra. Ascher, sem que nada ocorresse em prejuízo de seu plano.

"O assassinato nº 1 fora bem-sucedido.

"Quanto ao segundo crime, tomou a precaução de cometê-lo, na realidade, *um dia antes*. Tenho plena certeza de que Betty Barnard foi assassinada bem antes da meia-noite de 24 de julho.

"Passemos agora ao assassinato nº 3, o que realmente importava para o criminoso, o único *legítimo* de acordo com seu ponto de vista.

"E aqui cabe um grande voto de louvor a Hastings, que fizera uma observação simples e muito óbvia, mas que não mereceu qualquer atenção.

"*Ele insinuou que a terceira carta fora extraviada propositalmente!* E tinha razão!...

"Nesse simples detalhe está a resposta à indagação que vinha me intrigando tanto. Por que as cartas eram endereçadas a Hercule Poirot, um detetive particular, e não diretamente à polícia?

"Eu pensara, erroneamente, numa razão de ordem pessoal. Mas não era nada disso! As cartas me foram dirigidas porque seu plano consistia em que uma delas *não trouxesse o endereço correto e se extraviasse*. Claro que não poderia usar do mesmo artifício com uma carta endereçada ao DIC da Scotland Yard visando um extravio propositual. Seria necessário contar com um endereço *particular*. E assim o senhor me escolheu por ser uma pessoa bem-conhecida, e que seguramente levaria tais cartas ao conhecimento da polícia. E também, devido à sua mentalidade insular, porque se divertiria zombando de um estrangeiro.

"Endereçou a carta de maneira muito esperta — a troca de Whitehaven por Whitehorse —, dando a impressão de um equívoco comum. Somente Hastings se mostrou bastante perspicaz para ignorar sutilezas e ir direto ao óbvio!

"Naturalmente que o retardamento na entrega da carta fora planejado. A polícia só entraria em ação *quando o assassino estivesse longe e em segurança*. Os passeios noturnos de seu irmão lhe forneceram a oportunidade para o crime. E de tal maneira a imagem aterrorizante do ABC se instalara na mente popular que a possibilidade de ser o senhor o culpado nunca ocorreu a ninguém.

"Após a morte de seu irmão, naturalmente, o objetivo que você tinha em vista fora cumprido. Não alimentava nenhum desejo de cometer outros assassinatos. Mas, por outro lado, se a série de crimes fosse encerrada sem razão alguma, a verdade poderia vir a ser suspeitada.

"Seu bode expiatório, o sr. Cust, vivera tão bem seu papel de homem 'invisível', quase apagado, que ninguém notara que a mesma pessoa fora vista nas vizinhanças dos locais onde haviam ocorrido os três assassinatos! Nem mesmo sua visita à mansão

Combeside fora mencionada, para maior contrariedade do sr. Franklin Clarke. Esse detalhe fora praticamente esquecido pela srta. Grey.

"Sempre ousado, o senhor decidiu que havia necessidade de consumar mais um crime, mas dessa vez a pista deveria ser bem--disfarçada. E então, escolheu Doncaster para cenário de operações.

"Seu plano era muito simples. O senhor estaria na cena do crime segundo a ordem natural das coisas. O sr. Cust receberia instruções de seus supostos empregadores para ir a Doncaster. Seu plano, sr. Clarke, consistiria em segui-lo e aguardar a oportunidade ideal. Tudo se encaminhava bem. O sr. Cust entrou em um cinema. Seria simples demais. Então, o senhor se sentou numa poltrona pouco afastada da do sr. Cust. Quando ele se levantou para sair, o senhor o imitou. Simulou a atitude de um indivíduo desajeitado e vagaroso, se inclinou sobre a poltrona da frente a pretexto de recolher seu chapéu e esfaqueou o homem que ali cochilava, deixando aos pés do mesmo um exemplar do guia ABC. Alcançou o sr. Cust, esbarrando nele, na penumbra do corredor e foi então que se desfez da faca, deixando-a deslizar dentro do bolso do casacão de seu bode expiatório...

"Nem sequer se preocupou em escolher dessa vez uma vítima cujo nome começasse por D. Podia ser qualquer um! Tinha em conta — e com razão — de que isso poderia ser encarado como um *engano*. Era de se esperar que houvesse alguma pessoa no cinema cujo nome se iniciasse por D. E a polícia julgaria que essa era a vítima escolhida realmente."

Num clima de tensão e expectativa, Poirot prosseguiu:

— E agora, meus amigos, analisemos a questão do ponto de vista do falso ABC, isto é, o sr. Cust.

"O crime de Andover nada lhe dizia de particular. Ele estava e continua chocado e surpreso com o assassinato de Bexhill... porque ali estivera na ocasião! Então, aconteceu o crime de Churston e as manchetes nos jornais. Um crime do ABC em Andover quando ele, Cust, ali também estivera de passagem, um outro crime com a marca ABC em Bexhill, e agora aquele outro num local próximo de onde também estivera... Três crimes e *ele tinha estado no cenário dos mesmos*. Pessoas que sofrem de epilepsia comumente sofrem de lapsos de memória e não conseguem se lembrar do que fizeram quando em crise... Lembrem-se de que Cust é um indivíduo nervoso, confuso e altamente impressionável.

"Então, ele recebe a instrução para ir a Doncaster.

"Doncaster! O próximo crime ABC seria ali. Ele deve ter encarado isso como se fosse seu destino irremediável. Com os nervos à flor da pele, imaginou que sua senhoria o olhava com desconfiança, e lhe disse então que ia a Cheltenham.

"Foi a Doncaster por ser esse seu dever. Ao fim da tarde, foi ao cinema. Possivelmente adormeceu por uns dois minutos.

"Imaginem como se sentiu ao voltar para a pensão e descobrir *que havia manchas de sangue na manga de seu casaco e uma faca ensanguentada em seu bolso*. Todas as suas vagas suspeitas se transformaram em certeza. Sim, ele... *ele* era o assassino! Recordou suas dores de cabeça violentas, seus lapsos de memória... Estava certo de que, na verdade, ele, Alexander Bonaparte Cust, era um lunático homicida.

"Seu modo de proceder então se torna o de um animal caçado. Deixa para trás Doncaster e retorna à pensão londrina. Está a salvo ali, pensa então. Todos ali julgam que fora a Cheltenham. Ainda mantém consigo a faca — uma idiotice realmente tê-la conservado. Então, a esconde atrás do armário de roupas do vestíbulo.

"Mas, certo dia é avisado por telefone que a polícia iria procurá-lo na pensão. Era o fim! Eles já *sabiam*! E o animal caçado dá sua última escapada...

"Não sei por que ele foi para Andover, talvez um desejo mórbido, acho que para ver de perto o local onde o primeiro crime fora cometido, o que *cometera* embora nada recordasse a respeito...

"Estava sem dinheiro no bolso, exausto, faminto... e seus passos o levaram mecanicamente ao distrito policial.

"Mas mesmo um animal acuado lutaria nessa situação. O sr. Cust acredita piamente ter cometido aqueles crimes embora se aferre com veemência à sua alegação de inocência. E se apega com desespero àquele *álibi* referente ao segundo crime. Pelo menos, esse não lhe deveria ser atribuído.

"Como já disse aqui, ao vê-lo logo percebi que *não era* o assassino e que meu nome *nada significava* para *ele*. Percebi, também, que ele *pensava* ser o assassino! E depois que me confessou sua culpa, tive mais do que nunca a certeza de que minha teoria era correta."

— Sua teoria — disse Franklin Clarke — é absurda!

— Não, sr. Clarke — retrucou Poirot, movendo a cabeça. — *Só esteve a salvo enquanto ninguém suspeitava do senhor.* Uma vez que *se tornou* suspeito, as provas surgiram com facilidade.

— Que provas?

— Encontrei a bengala que usou nos crimes de Andover e Churston. Estava num armário na mansão Combeside. Uma bengala comum, com um castão maciço. Uma parte da madeira fora removida para que ali se introduzisse chumbo derretido. Uma foto sua foi reconhecida entre uma dúzia de outras por duas pessoas que o viram sair do cinema quando se supunha que estivesse no hipódromo de Doncaster. No outro dia, em Bexhill, você foi reconhecido por Milly Higley e uma empregada do motel onde esteve jantando com Betty Barnard, na noite do crime. E, finalmente — o mais grave de tudo —, *você se esqueceu de tomar uma precaução elementar*, ao deixar suas impressões digitais na máquina de escrever enviada a Cust; a mesma máquina que, se você fosse inocente daqueles crimes, *jamais teria usado.*"

Clarke permaneceu sentado ainda por um instante, então se ergueu e exclamou:

— *Rouge, impair, manque!* A vitória é sua, sr. Poirot! Mas valeu a pena tentar!

Com um movimento incrivelmente rápido, ele retirou uma pequena pistola automática do bolso do paletó e apontou para a própria cabeça.

Dei um grito e recuei instintivamente, como se o disparo fosse iminente.

Mas não soou nenhum disparo. O percussor bateu no vazio. Clarke olhou para a arma atônito e soltou um palavrão.

— Não, sr. Clarke — disse Poirot —, não adianta insistir. Devia ter notado que contratei um novo criado hoje, um amigo meu, de mãos muito leves... Ele conseguiu tirar-lhe a pistola do bolso, retirou as balas e a recolocou em seu bolso, sem que o senhor desse pela coisa.

— Estrangeiro almofadinha, miserável! — gritou Clarke, vermelho de raiva.

— Sim, sei como se sente e como encara os estrangeiros. Mas a morte não lhe será fácil como pensava. Certa vez, disse ao sr. Cust que por duas vezes escapara de morrer afogado. Sabe o que isso significa, não? Que você nasceu para ter um outro destino.

— Seu...

As palavras lhe faltaram. Estava lívido. Brandia os punhos ameaçadoramente. Dois agentes da Scotland Yard saíram do quarto ao lado. Um deles era o inspetor Crome. Acercou-se de Clarke e pronunciou a frase de praxe: "Saiba que tudo que disser poderá servir de prova contra a sua pessoa."

— Ele já disse o suficiente — declarou Poirot. E acrescentou para Clarke: — Você faz alarde de uma superioridade insular, mas não considero seu crime como um clássico crime inglês, franco, *esportivo...*

35

FINALE

SINTO-ME ATÉ CONSTRANGIDO em confessá-lo, mas, assim que a porta se fechou atrás de Franklin Clarke, desatei a rir.

Poirot me olhou meio surpreso.

— Estou rindo por você ter dito a Clarke que ele cometera um crime não esportivo — disse eu, ofegante devido ao acesso de riso.

— E é uma verdade. Cometeu algo abominável, não tanto o assassinato do irmão, mas o sadismo e a crueldade de condenar um pobre homem a viver a morte em vida. *Caçar uma raposa, colocá-la numa caixa e nunca deixá-la escapar!* Isso não é *le sport*!

Megan Barnard deu um suspiro profundo, murmurando:

— Custo a acreditar... não consigo. É verdade?

— Sim, Mademoiselle. O pesadelo acabou.

Olhou-a significativamente e ela enrubesceu.

Voltando-se para Donald Fraser, Poirot disse:

— Mademoiselle se viu perseguida todo esse tempo pelo temor de que tivesse sido o senhor o autor do segundo assassinato.

Donald Fraser retrucou em tom sereno:

— Cheguei até a me imaginar como o assassino certa vez.

— Por causa daquele seu sonho? — Poirot se aproximou do rapaz e lhe confidenciou: — Seu sonho tinha uma explicação bem natural. No fundo, já intuía que a imagem de uma das duas irmãs se diluía em sua mente e era substituída pela da outra. Mademoiselle Megan veio ocupar o lugar da irmã em seu íntimo, mas como o senhor não admitia a ideia de se mostrar infiel logo após a morte de sua namorada, lutou para abafar a ideia de matá-la! Eis a explicação do seu sonho.

O olhar de Fraser se fixou em Megan.

— Não seja tão escrupuloso em se libertar de lembranças — disse Poirot. — Ela não merecia ser relembrada assim. Em Mademoiselle Barnard, você terá uma companheira ideal, *un coeur magnifique!*

Os olhos de Donald Fraser brilharam vivamente.

— Creio que tem toda razão.

Todos nós assediamos Poirot com perguntas, visando elucidar um ou outro detalhe do caso.

— E aquelas perguntas, Poirot. As que você fez a todos. Havia algum objetivo naquele jogo de verdade?

— Algumas eram *simplesment une blaque*. Mas apurei uma coisa que desejava saber: *que Franklin Clarke estava em Londres quando a primeira carta foi remetida*, e também queria ver sua reação quando formulei aquela pergunta à Mademoiselle Thora. Ele abriu sua guarda. Notei malícia e rancor em seus olhos.

— O senhor dificilmente adivinharia meus sentimentos — disse Thora Grey.

— Não esperava que me respondesse a verdade, Mademoiselle — disse Poirot, secamente. — E agora, sua segunda oportunidade foi frustrada. Franklin Clarke não herdará o dinheiro do irmão.

Thora Grey ergueu a cabeça com altivez.

— Tenho de ficar aqui e ser insultada?

— De maneira alguma — disse Poirot e abriu a porta para ela, com cortesia irônica.

— Aquele detalhe das impressões digitais liquidou a luta, Poirot — falei. — Ele desabou quando você mencionou isso.

— Sim, as sempre úteis impressões digitais.

E eu o ouvi acrescentar serenamente:

— Adicionei tal detalhe só para agradá-lo, meu amigo.

— Mas como, Poirot? — exclamei. — Então não era *verdade*?
— Nem um pouco, *mon ami* — respondeu Hercule Poirot.

Devo mencionar ainda a visita que o sr. Alexander Bonaparte Cust nos fez poucos dias depois. Após apertar a mão de Poirot com veemência e articular frases meio confusas e desajeitadas de agradecimento, o sr. Cust se empertigou e disse:

— Não sei se o senhor sabe, mas um jornal acaba de me oferecer cem libras, *uma centena de libras*, por um resumo da minha vida e da história que acabo de viver. Eu... realmente não sei o que fazer nesse caso.

— Eu não aceitaria cem — disse Poirot. — Faça pé firme e diga que seu preço é de quinhentas libras. E não se limite a um jornal apenas.

— O senhor acha então... que eu devo...

— Você deve perceber — disse Poirot, sorrindo — que agora é um homem famoso. Praticamente o mais conhecido na Inglaterra atualmente.

O sr. Cust se empertigou ainda mais. Sua expressão era de puro êxtase.

— Sabe, acho que o senhor está certo! Famoso! Minha história em todos os jornais. Seguirei seu conselho, sr. Poirot. O dinheiro será muito útil... muito bom. Terei umas pequenas férias... E também desejo dar um belo presente de casamento a Lily Marbury, uma boa moça, realmente, sr. Poirot.

Poirot lhe bateu no ombro, encorajando-o.

— Faz muito bem. Trate de se divertir. E... apenas uma sugestão: que me diz de uma visitinha ao oculista? Essas suas dores de cabeça talvez aconteçam porque precisa de novas lentes.

— O senhor acha que a causa deve ter sido essa até agora?

— Acho que sim.

O sr. Cust trocou outro forte aperto de mão com meu amigo.

— É realmente um grande homem, sr. Poirot.

Poirot, como lhe era habitual, não deixou de apreciar o elogio. Nem mesmo cuidou de aparentar modéstia.

Quando o sr. Cust se retirou, empertigado em sua nova posição de homem importante, meu velho amigo sorriu e me disse:

— Então, Hastings, nós estivemos caçando juntos uma vez mais, hein? *Vive le sport.*

SOBRE A AUTORA

Agatha Christie nasceu em Torquay, cidade da Inglaterra, em 1890, e tornou-se a romancista mais vendida de todos os tempos. Escreveu oitenta romances e coletâneas de contos, além de mais de uma dúzia de peças, incluindo *A ratoeira*, peça que ficou mais tempo em cartaz na história teatral. Agatha também escreveu sua autobiografia, publicada no Brasil em 1977. Embora seu nome seja sinônimo de ficção policial, a extensão dos temas em seus romances é extraordinária, e Agatha realmente merece um lugar de destaque como uma das mais queridas escritoras de todos os tempos.

Seu sucesso permanente, ampliado pelas inúmeras adaptações para o cinema e para a tevê, é um tributo ao eterno fascínio de seus personagens e à absoluta engenhosidade de suas tramas.

Agatha Christie morreu em 1976, aos 85 anos, de causas naturais.

Surpreso com o desfecho desse mistério?

Não deixe de conferir outros desafios que
a Rainha do Crime preparou para seus detetives:

A maldição do espelho
A mansão Hollow
Assassinato no Expresso do Oriente
Casa do Penhasco
Cem gramas de centeio
Convite para um homicídio
Hora zero
M ou N?
Morte na Mesopotâmia
Morte no Nilo
Nêmesis
O mistério dos sete relógios
O Natal de Poirot
Os elefantes não esquecem
Os trabalhos de Hércules
Treze à mesa
Um corpo na biblioteca

Este livro foi impresso na China, em 2020, para
a HarperCollins Brasil.
A fonte usada no miolo é Bembo, corpo 11/14.